日本からの✈フライト時間
約6時間30分

ビザ
45日以内の観光なら不要

言語
ベトナム語

時差

日本	0	1	2	3	4	5	6	7	8	9	10	11	12	13	14	15	16	17	18	19	20	21	22	23
ベトナム	22	23	0	1	2	3	4	5	6	7	8	9	10	11	12	13	14	15	16	17	18	19	20	21

通貨と換算レート
ベトナムドン（VND）
1万VND=62円（2024年7月現在）

チップ
基本的にチップは不要

ベトナム

CONTENTS

本書の使い方

●本書に掲載の情報は2024年7～8月の取材・調査によるものです。料金、営業時間、休業日、メニューや商品の内容などが、本書発売後に変更される場合がありますので、事前にご確認ください。
●本書に紹介したショップ、レストランなどとの個人的なトラブルに関しましては、当社では一切の責任を負いかねますので、あらかじめご了承ください。
●料金・価格は「VND」、または「US$」で表記しています。また表示している金額とは別に、税やサービス料がかかる場合があります。
●電話番号は、市外局番から表示しています。日本から電話をする場合には→P.163を参照ください。
●営業時間、開館時間は実際に利用できる時間を示しています。ラストオーダー(LO)や最終入館の時間が決められている場合は別途表示してあります。
●休業日に関しては、基本的に旧正月、祝祭日などを除く定休日のみを記載しています。

本文マーク凡例

- ☎ 電話番号
- 交 最寄り駅、スポットなどからのアクセス
- 所 所在地　H はホテル内にあることを示しています
- 休 定休日 ／ 料 料金
- HP 公式ホームページ
- J 日本語が話せるスタッフがいる
- J 日本語のメニューがある
- E 英語が話せるスタッフがいる
- E 英語のメニューがある
- 予約が必要、または望ましい
- クレジットカードが利用できる

地図凡例

- ★ 観光・見どころ
- 博物館・美術館
- E エンターテインメント
- N ナイトスポット
- M 市場
- R 飲食店
- C カフェ
- SC ショッピングセンター
- S ショップ
- H 宿泊施設
- e エステ&スパ
- i 観光案内所
- 空港
- 乗船場
- バスターミナル

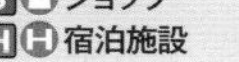

あなたのエネルギッシュな好奇心に寄り添って、
この本はベトナム滞在のいちばんの友だちです！

誰よりもいい旅を！ あなただけの思い出づくり

ベトナムへ出発！

ひっきりなしにバイクが走り、騒音に翻弄される街路を抜け、路地へ入る。
少しだけ音が遠ざかる。屋台で、フォーを食べる。ウマい。
旅行者もベトナム人もフォーが好きだ。いつも食べている。
物売りの声と子どもの声が混じる。ベトナムを旅している、と感じる。
うるさいベトナムもいい、そう思っている自分がいる。

ホイアン(P.110)

VIETNAM
HUE
世界遺産「グエン朝王宮」を散策。見事な王宮建築に圧倒される
IMMIGRATION
出国
DEPARTED
10. SEP 2026
IMMIGRATION
異国情緒あふれる
ホイアンの古い街並み
HOI AN
ホイアンの名所のひとつ来遠橋を渡り、小さなお寺で安全祈願
夜はランタンの灯りが通りを照らすナイトマーケットを見に行こう

タンディン教会(P.75)
人気のフォトスポット
愛らしい外観の教会へ
HO CHI MINH
コロニアルな意匠が美しいホーチミンのシンボル人民委員会庁舎
ベトナム最高層ビルのランドマーク81から、輝く夜景を見下ろす
NHÀ THỜ TÂN ĐỊNH

ハロン湾(P.20)
奇岩が連なる
ベトナム随一の景勝地
HANOI
散策の休憩がてら風情ある建物でハノイ名物の蓮茶を味わう
バーナー・ヒルズ(P.98)
DA NANG
ダナン最大の広さを誇るミーケ・ービーチ。リゾート気分で浜辺をお散歩
絶景が広がる
話題の映えスポット

出発前に知っておきたい

どこに何がある？
どこで何する？

ハノイの旧市街に響くバイクの喧騒も今や名物だ

国はこうなっています！
ベトナムの2大都市と中部の街

南北約1650㎞に広がる細長い国土を持つベトナム。北部、中部、南部で気候も風土も異なる多様な観光要素が魅力だ。

エネルギッシュなベトナム最大の都市

ベトナム随一の大都市

A ホーチミン ▶P.35
Hồ Chí Minh

仏領時代のコロニアル建築が点在し、新旧の街並みが共存する大都市。バイクと車があふれるエネルギッシュな街は、ショッピングやグルメ、散策など、さまざまに楽しめる。

ピンク色のタンディン教会はホーチミンのシンボル

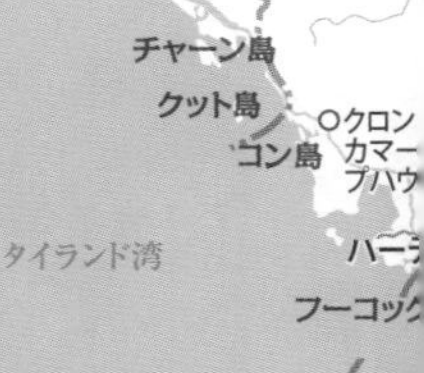

サイゴン川のディナークルーズで優雅なひとときを

ジャングルの中を巡るメコン川クルーズで冒険気分

ベトナムってこんな国

北部、中部、南部の大きく３つのエリアに分かれる。首都ハノイを有する北部は湖と緑に彩られた都。なだらかな海岸線が広がる中部のフエやダナンは、ビーチリゾートや世界遺産探訪が魅力。ホーチミンのある南部は大都市から高原リゾート、ジャングルクルーズまで楽しめる。

幻想的な景色が広がる大人気のハロン湾クルーズ

歴史が息づく趣ある街並みの都

B ハノイ ▶P.125

Hà Nội

際立つ存在感を放つ大劇場

美しい湖と緑に彩られ、喧騒のなかにもしっとりとした古都の趣あふれるベトナムの首都。旧城下町の名残が息づく旧市街の散策や、夕日の名所でもあるタイ湖周辺ではグルメも楽しめる。

街の中心に広がるハノイ市民が憩うホアンキエム湖

白砂のビーチリゾートと遺跡巡りを楽しむ

C 中部 ダナン・ホイアン・フエ ▶P.91

Đà Nẵng/Hội An/Huế

近年美しいビーチリゾートが注目を浴びる中部エリア。玄関口となるダナンを中心にミーソン遺跡、王都であったフエ、ランタンが灯る世界遺産の街ホイアンなど、見どころも多彩だ。

まずはこれをチェック！
滞在のキホン

ベトナムへ出発する前に知っておきたいフライトや交通、通貨と物価、季節のイベント情報などをチェック。

ベトナムの基本

- **地域名(国名)**
  ベトナム社会主義共和国
  Socialist Republic of Viet Nam
- **州都**
  ハノイ Hanoi
- **人口**
  約1億30万人
  (2023年推計)
- **面積**
  約33万㎢
- **言語**
  ベトナム語
- **宗教**
  仏教、キリスト教
  カオダイ教ほか
- **政体**
  社会主義共和国
- **元首**
  トー・ラム
  国家主席

日本からの飛行時間

約6時間30分。直行便は日本各地から就航

日本からベトナムまでは約6時間30分。直行便は成田や関西、中部、福岡など主要な空港から複数便就航しており、ホーチミン、ハノイ、ダナンに到着する。主な航空会社は日本航空、全日空、ベトナム航空など。
タンソンニャット国際空港 MAP 付録P.4 A-1

為替レート&両替

1万VND=約62円。銀行、両替所を利用

通貨の単位はVNDで、1万VND＝約62円(2024年7月現在)。日本では換金場所が限られるうえレートも悪いので、現地での両替がベスト。現地の空港の両替所や銀行、大手ホテルのフロントで可能。安全性や利便性を考慮して、手持ちの現金は最小限にしたい。

パスポート&ビザ

15日以内ならビザは不要

観光目的の場合、15日以内の滞在であればビザは不要。ただしベトナム入国の時点でパスポートの有効期間が6カ月以上あり、かつ、前回のベトナム出国時から30日以上経過していることが条件。出国用の航空券(eチケット)も必要となるので出発前に準備をしておこう。

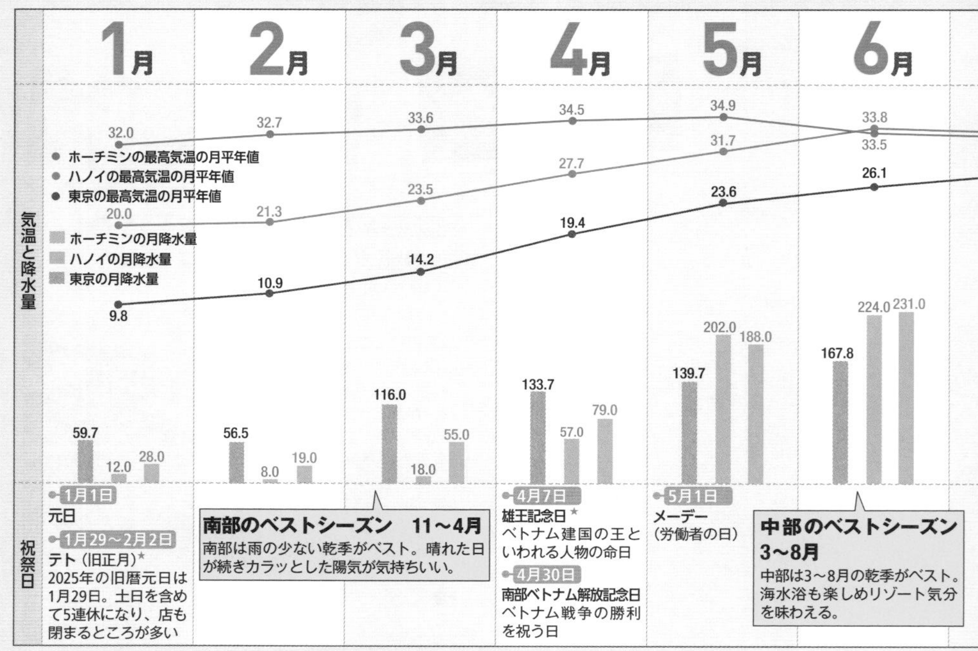

ホーチミン、ハノイの最高気温の月平年値、月降水量はWorld Meterological Organization、東京の最高気温の月平年値、月降水量は気象庁による

日本との時差

❖ 日本との時差は－2時間。日本が正午のとき、ベトナムは同日の午前10時となる

東京	0	1	2	3	4	5	6	7	8	9	10	11	12	13	14	15	16	17	18	19	20	21	22	23
ベトナム	22	23	0	1	2	3	4	5	6	7	8	9	10	11	12	13	14	15	16	17	18	19	20	21

言語

❖ 基本はベトナム語。都市部では英語も

ベトナムの使用言語はベトナム語。都市部のホテルや観光客が多く訪れるカフェやショップなどでは英語が使える場合もある。ただしタクシーの運転手に英語が通じる可能性は低いので、ベトナム語で書かれたホテルの名前や住所、地図を用意しておいたほうがよい。

交通事情

❖ タクシーを活用。地下鉄は建設中

主な交通手段はタクシー。基本的にメーター制で、初乗り料金は6000～1万5000VNDほどと格安。都市部では路線バスも走っている。シクロやバイクタクシーは値段交渉が必要なので、旅行者には不向き。ホーチミンとハノイでは、地下鉄が開通する予定だ。

チップ&物価

❖ 基本的にチップは不要。物価は日本より安い

ベトナムではチップの習慣があまりないので、意識する必要はない。特別なリクエストをした場合のみ、感謝の気持ちとして2万VND程度のチップを渡せばよい。物価は日本より安く、特にタクシーなどの交通費や食事代は格段に安いので、リーズナブルに旅を楽しめる。

気候と服装

❖ 北･中･南部で気候が異なる

縦に長いベトナムは地域によって気候が異なる。ホーチミンなどの南部は一年を通して気温が高く、半袖と薄手の上着で過ごせる。中部も同様だが涼しい季節には上着を用意しよう。ハノイなどの北部には四季があり、夏季は蒸し暑いが冬季は10℃以下になることも。

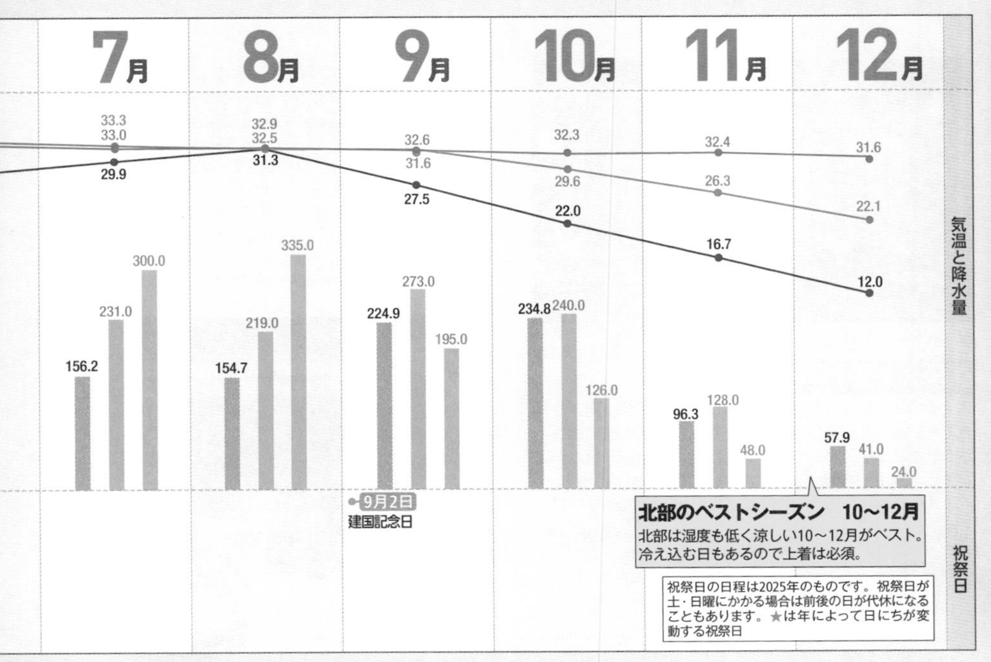

北部のベストシーズン　10～12月
北部は湿度も低く涼しい10～12月がベスト。冷え込む日もあるので上着は必須。

祝祭日の日程は2025年のものです。祝祭日が土・日曜にかかる場合は前後の日が代休になることもあります。★は年によって日にちが変動する祝祭日

NEWS & TOPICS

ハズせない街のトレンド！

ベトナムのいま！ 最新情報

ニューオープン施設や街のトレンドなど、注目の最新ニュースをしっかり押さえて、旅のプランに組み込みたい。

ホーチミンの最新トレンド
ベジタリアンレストランが人気

新鮮な野菜やきのこなどを主軸にした、見た目にも美しく味も格別なベジタリアン料理店が急増中。サラダからお鍋まで種類も豊富で満足感もある。

フム・ベジタリアン・ラウンジ＆レストラン

▶P.40

ヘルシーさに加え洗練された料理が大人気。オリジナルグッズを販売するショップも併設する。

チー・ホア・ベジタリアン

カフェのような雰囲気で、伝統料理を野菜のみでアレンジ。ヘルシー志向のベトナム人にも人気だ。

3区 MAP 付録P.7 D-2

☎028-38251676 交市民劇場から徒歩15分 所8 Bis Công Trường Quốc Tế 営9:00～21:00 休日曜

↑フォー揚げと豆腐＆野菜炒め 9万5000VND

←店舗は道路脇を入った2階にある

野菜がたっぷり食べられるライスペーパーの野菜巻き11万5000VND

↑長さ約120m・幅8mの通りが歩行者天国に

グーサー通りに
グルメストリートが誕生!

ハノイのチュックバック湖ほとりにある小さな出島がグルメストリートとして生まれ変わった。欧米人の観光客を中心に新たなエリアとして人気急上昇中。週末は歩行者天国になり、路上で料理を気軽に楽しむ人々で大いに賑わう。ノスタルジックな雰囲気も素敵で島内を散歩するのもよい。

フォー・クオン31

▶P.134

ここに来たら絶対に食べたい、揚げフォーとフォーで牛肉を巻いたフォー・クオン

ダナンで人気のイベントを満喫
アントゥンアン・ナイトマーケット

ミーケー・ビーチ近くにあり、食事が終わったあとに夜風にあたりながらブラブラ歩きをするのにちょうどよい規模。屋外マッサージやシーフードをその場で焼いてくれるお店などが並ぶ。マーケットがあるエリアは在住外国人も多く、バーやレストランなど飲食店も沢山ある。

ダナン中心部 MAP 付録P.13 F-4

☎なし 交ミーケビーチから徒歩10分 営18:00～23:00

→氷の上に置かれたシーフードはセット販売されておりその量と値段に驚く

全室にシモンズ社製ベッドを配し、トイレはウォシュレットも完備。快適に過ごせる

屋上のプールやジムなど館内設備も充実している

2023年7月オープン

ホーチミンの日系ホテル
相鉄グランドフレッササイゴン が開業

相鉄グランドフレッサブランドが海外に初進出。ホーチミン市の中心部に位置し、レタントン通りやドンコイ通りも徒歩で行けるほどアクセスが抜群。日本料理が味わえるレストランも完備。

ドンコイ通り MAP 付録P.8 C-1
☎028-38241555 交市民劇場から車で6分 所8 Lý Tự Trọng, Bến Nghé, Quận 1 料デラックスダブル240万VND～ 営IN14:00 / OUT12:00

ベンタイン地区～新東部まで
メトロ1号線 が開通

2024年12月オープン

日本も技術支援や融資で参加している、ホーチミン市の地下鉄路線計画。計画されている6路線のひとつ、メトロ1号線がいよいよ開業間近に。ベンタイン地区から新東部バスターミナルまでを結ぶ。現在は試運転や運営のための人材トレーニングなどが行われている。

大きなドーム型の天窓から自然光を取り込むベンタイン市場駅

将来的には他路線とも接続する予定。観光地へのアクセスがより便利になりそう

2023年6月スタート

東京からは行きが約6時間、帰りが約5時間程度のフライトになる

ダナン直行便 が再開

日本からダナンまでの直行便が再開し、ビーチリゾートや世界遺産の遺跡、周辺のホイアンやフエにもアクセスしやすくなった。

2024年3月スタート

日帰り旅行に最適
観光列車 が運行開始

フエーダナン、ダナンーフエ間を1日各2本走り、風光明媚な景色が広がるランコー駅で10分間ほど停車する。

☎フエ駅0234-3822175、ダナン駅0236-3821175 料180万VND(月～金)、210万VND(土・日)VND

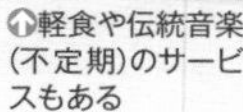

軽食や伝統音楽(不定期)のサービスもある

チケットはネットまたは駅で購入可能

乗り降り自由で観光に便利!
2階建て観光バス が人気

ハノイの街を高い目線から楽しめ、乗り降りせずに60分で街をまわるだけのチケット(15万VND)もある。

交市民劇場から徒歩1分 所1 Tràng Tiền 営9:15～17:15(チケット売場) 料4時間利用チケット29万9000VND（6～11歳は22万5000VND）

ブースはバスが停車する場所の対面にある

オペラハウスの右手側に停車するバス

ベトナム滞在を満喫するための 旅のアドバイス

まずは旅を楽しむために、訪れる国のルールやマナーを知っておこう。
ベトナムで気をつけたいポイントを街歩きやグルメなど、シチュエーションごとにご紹介。

街歩きのきほん

寺院では服装に注意

仏教寺院などの宗教施設では、タンクトップやショートパンツなど肌を露出した服装がNGなことも。大判ショールを携行し、適宜肌を隠すと便利だ。

交通事故に気をつけて

ベトナムの大都市の道路は交通量が多く、道路を渡る際には注意が必要。信号のない場所を渡る場合は、手を挙げるなど合図をしながら焦らずゆっくり渡ると運転手のほうが避けてくれる。

政府や軍の関係施設は撮影禁止

政府、軍事施設や警官、軍事関係者などにはけっしてカメラを向けないように。また、共産党や政治への批判も口にしないように気をつけよう。

子どもの頭をなでる行為はNG

ベトナムには子どもの頭をなでる習慣はないので、日本のような感覚で気軽に触れるのはNG。親に不審に思われ、誘拐などを疑われてしまう場合も。

ベトナムのトイレ事情

清潔なトイレを利用したいならホテルやデパートなどがベスト。カフェで何か注文してから利用するのもいい。一方、街なかの公衆トイレや古い食堂などのトイレは衛生的でないことが多い。そういったトイレでは紙を流すと詰まるおそれがあるので、便器の横のゴミ箱に捨てよう。

グルメのきほん

どんな店を選ぶ？

高級レストランからローカルな食堂や屋台まで、ベトナムの飲食店はバラエティ豊か。気分によって異なる雰囲気を楽しみたい。予約をする場合はホテルのフロントなどに頼むとよい。

入店から会計まで

レストランでは入口で案内される場合もあるが、空いている席があれば着席してOK。大衆食堂などメニュー表がない場合は指さしでオーダーする。会計は席でするので、店員に声をかけて伝票を持ってきてもらおう。おつりが少額の場合はチップとみなされて持ってきてくれない場合もある。必要な場合は伝えよう。

おしぼりや水は有料の場合も

卓上に置かれているウェットティッシュやお茶は有料の場合が多い。いずれも料金は2000～5000VND前後。

チップは必要？

基本的にチップは不要。高級レストランなどではサービス料が金額に含まれている場合もある。

テーブルマナー

音をたてて麺をすする、器に口をつけるなどはマナー違反。一方で食べる前に箸などの食器を拭いたり、料理をシェアして食べるのはベトナム人もやっていること。気にしなくてOK。

ショッピングのきほん

値段交渉の方法

市場などでは値段交渉が基本。言い値で買うと損をするので、まずはこちらの希望価格を告げ、店側と歩み寄りながら納得のいく値段に近づけよう。極端な値切り交渉は相手を怒らせることもあるので控えたい。

よく吟味して購入を

市場ではつくりが雑なものも多く売られているので、購入前によく吟味したほうがいい。食品などは風味が落ちているものも多いので、品質を重視するならおみやげ店やスーパーへ。

いくらですか？
Bao nhiêu tiền?
バオ　ニュー　ティエン？

まけてください
Xin bớt cho tôi
シン　ボッ　チョー　トイ

ホテルのきほん

チップは必要？

通常のサービス内では基本的に不要。ただし、高級ホテルではポーターに2万VNDほどを渡すのがスマート。別途のサービスにも心付けを。

トラブルに備えよう

低価格なホテルでは、エアコンなどが故障していることも。また、ホテル内で盗難に遭うこともあるので貴重品は必ずセーフティボックスに入れるなど、細心の注意を払おう。

各地の名物料理

細長い国土を持つベトナム。南北では気候や風土も異なり、食文化もさまざま。各地の料理の特徴や魅力を知っておけば、食べ歩きがもっと楽しくなるはず。

北部の名物料理

ハノイに代表される北部では、塩やヌクマム(魚醤)などをベースにしたやや塩辛い味付けが基本。中国の影響で、味噌や豆腐、麺も多用する。

ブンチャー Bún Chả
モチモチ食感の細い米粉麺、ブンを豚肉入りのタレにつけて食べる

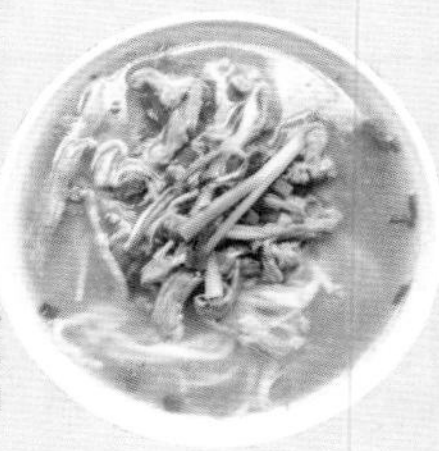

フォー Phở
米粉麺のフォーをだしが利いたスープでいただく。具は牛肉や鶏肉が一般的

チャー・カー Chả Cá
白身魚とネギなどの香味野菜を油で香ばしく炒める、ハノイ発祥の鍋料理

ブン・ジウ Bún Riêu
トマトの酸味が効いたスープにブンが入った北部の名物料理。カニ肉や豆腐などをトッピングする

中部の名物料理

中部では、魚介類を使った料理が名物。唐辛子を多用した辛い料理が多いことでも知られる。細工が見事なフエの宮廷料理も有名。

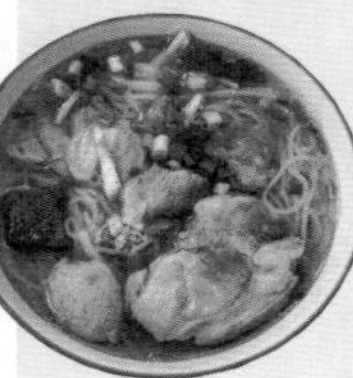

ブン・ボー・フエ Bún bò Huế
塩辛や豚足が入ったフエの名物麺。ピリ辛の味付けがくせになる

シーフード
新鮮な貝やエビの蒸し焼きなど海鮮料理も豊富。ビーチ沿いに専門店が並ぶ

宮廷料理
皇帝や皇族に愛されてきた料理を忠実に再現した宮廷料理。目にも美しい盛り付けが特徴で、コースでいただくのが定番

南部の名物料理

蒸し暑い気候の南部では、砂糖やスパイスを多用した甘くて濃い味付けが主流。ココナッツミルクやハーブを使った料理も多い。

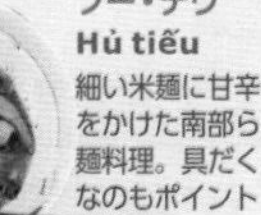

フー・テウ Hủ tiếu
細い米麺に甘辛タレをかけた南部らしい麺料理。具だくさんなのもポイント

ゴイ・クン(生春巻) Gỏi cuốn
エビや豚肉、香草などをライスペーパーで包んだ生春巻

ラウ・ホア(花鍋) Lẩu Hoa
エディブルフラワーと魚介がたっぷり入った南部発祥の鍋料理

バインセオ Bánh Xèo
香ばしい皮でモヤシやエビを挟んだベトナム風お好み焼

コム・タム Cơm Tấm
硬めに炊いた米に炭火焼の肉や玉子などをのせて食べるワンプレートメニュー

知っておきたいキーワード

麺の種類 ▶P.50
ベトナム人は麺料理が大好き。主流は米粉を使った麺だが、平打ち麺のフォー、モチモチの細麺ブン、弾力のあるフー・テウと、形状や食感が違うものが何種類もあるので、ぜひ食べ比べをしてみたい。

調味料とスパイス ▶P.51
調味料を加えてお好みの味で食べるのが現地流。別添えのライムや唐辛子、チリソース、パクチーなどを、自分好みにちょい足ししてみよう。

フランス料理 ▶P.42
仏領時代の名残もあり、ベトナムにはおいしいフレンチレストランがいっぱい。一流シェフの一皿を堪能したい。

コロニアルレストラン ▶P.130
優雅なコロニアル建築を改装したレストランは特別なディナーにもぴったり。洗練された店内でモダンベトナミーズやフレンチを堪能できる。

ベトナムコーヒー ▶P.56
カフェタイムはアルミのフィルターで淹れる名物のベトナムコーヒーを試してみたい。濃いめのコーヒーと甘い練乳との相性もばっちり。

バインミー ▶P.48
やわらかめのフランスパンで肉や野菜を挟んだバインミーは必食。ちょっと小腹が減ったときにもぴったり。

チェー ▶P.59
ベトナムの定番スイーツといえばチェー。フルーツやゼリー、小豆など、好きな具材を選んで注文しよう。

TRAVEL PLAN VIETNAM

至福のベトナム 周遊モデルプラン

個性豊かな魅力ある街が点在するベトナムは周遊プランがおすすめ。ホーチミンとハノイはもちろん、中部の魅力ある街も訪れたい！

とびっきりの3プラン

【移動】ホーチミン➡ダナン➡ホイアン➡ハノイ

4都周遊 PLAN

初めてのベトナムで訪れたい人気の4都市を、5泊7日で存分に満喫する。

ホイアンは情緒あふれる観光都市

午前便 日本からホーチミン・タンソンニャット空港へ

Day1 ホーチミン

ホーチミンに到着 ▶P.35

直行便の場合、ホーチミンまで約6時間30分のフライト。午前中に出発する便なら午後現地に到着。初日のディナーはモダンベトナミーズを堪能。

●ホーチミン泊

洗練されたレストランで贅沢ディナー

Day2 ホーチミン

熱気あふれる大都市を散策

コロニアル建築やベンタイン市場など、ホーチミンの定番スポットへ。午後はドンコイ通りで雑貨ハンティング。周辺には休憩できるおしゃれなカフェも多い。

●ホーチミン泊

まるでヨーロッパにいるみたい！

Day3 ホーチミン ダナン ホイアン

ホーチミンから中部の人気都市へ ▶P.91

飛行機で約1時間30分。ホイアン・エクスプレスなどで約1時間15分

中部の起点となるダナンへは飛行機で1時間30分。空港から乗合バスに乗って世界遺産の街ホイアンに直行。

●ホイアン泊

Day4 ホイアン ダナン ハノイ

ホイアンからダナンに戻り夜便でハノイへ

ホイアン・エクスプレスなどで約1時間15分。飛行機で約1時間30分。

午前中にダナンへ戻り、ミーケー・ビーチをのんびりお散歩。中部のリゾートを満喫したら、夜便でハノイへ。

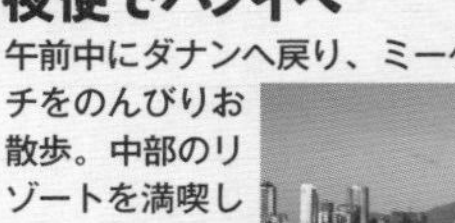

●ハノイ泊

ホーチミンから行ける世界遺産 アレンジプラン

メコン川 ▶P.30

ベトナムの原風景と出会えるメコンデルタ地帯。情緒あふれる水上マーケットも必見。

アドバイス

メコンデルタの玄関口であるミトーやカントーへはツアーで訪れるのが一般的。ジャングルクルーズや水上マーケット見学がついたツアーがある。

Day5 ハノイ

歴史ある古都ハノイをのんびり散策 ▶P.125

ハノイのランドマークである大教会や旧市街を歩いて散策。旧市街では素朴な日用品や籠バックをゲット。

●ハノイ泊

ハノイから行ける世界遺産

アレンジプラン

ハロン湾 ▶P.20

大小2000もの奇岩が海面から突き出す神秘的な湾。湾内はクルーズ船で周遊できる。

アドバイス

日帰りまたは1泊2日のツアーに参加するのがおすすめ。設備の整ったクルーズ船でランチを楽しんだり、湾内の鍾乳洞を訪れたりと内容は豊富。

Day6・7 ハノイ

ハノイを満喫し、深夜便で日本へ

最終日の朝食は名物のフォーに決まり。午後はタンロン遺跡やホーチミン廟まで足を延ばしてハノイの歴史をお勉強。夜までたっぷり楽しんだら深夜便で日本へ。

おやつには素朴なベトナムスイーツを

深夜便 ハノイ・ノイバイ空港から日本へ

南北統一鉄道でベトナム縦断

都市間の移動は飛行機がメジャーだが、旅情あふれる統一鉄道に乗ってみるのもオツ。ホーチミン(サイゴン)を出発し、ニャチャンやダナン、フエなどの都市を経由する。ホーチミン～ハノイまでは30時間以上かかるので、1区間だけ利用してみるのもいい。

旅行には何日必要?

複数都市に滞在したいなら

5泊7日以上

早朝便や深夜便をうまく利用すれば、南北に点在する4都市を5泊7日で周遊することも可能。ホーチミンとハノイの2大都市は見どころが多いのでそれぞれ2日は欲しいところ。中部の街は駆け足になるが0.5～1日が目安。

プランの組み立て方

❖ **飛行機移動で効率的に**
都市間の移動は速くて便利な飛行機がおすすめ。所要時間はホーチミンから中部までは約1時間30分、ハノイまでは約2時間10分で、早朝から深夜まで複数の便が就航している。運賃も安く、格安チケットなら数千円から移動できる。

❖ **市内の移動はタクシーが便利**
空港から市内へ移動したり、少し離れたスポットに行く場合はタクシーが便利。都市部ならどこでも走っており、運賃も格安。

❖ **オプショナルツアーも活用**
飛行機が乗り入れていない都市や郊外の世界遺産に行きたい場合はオプショナルツアーを利用しよう。あらかじめ日本で予約していくと安心。都市部なら日本人スタッフのいるツアー会社も多い。チャーターカーを手配するのも手。

❖ **テト(旧正月)は注意が必要**
テトとはベトナムの旧正月で、毎年テトにあたる10日～2週間ほどはほとんどの店が休業する。移動にも影響があり、国内線・国際線ともに混雑するほか、運賃も高騰するので注意が必要。

【移動】ホーチミン➡ハノイ

2大都市周遊PLAN

3泊5日の滞在で、ベトナムを代表する人気の2大都市を制覇するプラン。

ホアンキエム湖は市民の憩いの場所

午前便 日本からホーチミン・タンソンニャット空港へ

Day1 ホーチミン

ホーチミンに到着。ローカルグルメを堪能 ▶P.35

現地に到着したら、さっそく小腹を満たしに地元の食堂へ。ホーチミンには麺料理の専門店が多く、ベトナム各地のご当地麺が食べられる。 ●ホーチミン泊

Day2 ホーチミン

ホーチミンを代表する"映え"スポットへ

2日目はおしゃれな店が続々とオープンしているタオディエンを散策。午後はタンディン教会やモスクなど、フォトジェニックなスポットを巡ろう。
●ホーチミン泊

ファンシーなピンクの教会は必見！

Day3 ホーチミン ハノイ

飛行機で約2時間10分

午前便でハノイへ移動 ▶P.125

午前中ホーチミンを出発すればお昼にはハノイに到着。かわいい雑貨屋さんも多い旧市街やタイ湖を散策。 ●ハノイ泊

Day4・5 ハノイ

とっておきのカフェで最後のランチ

ランドマークの大教会が見える特等席でハノイ最後のランチを楽しもう。午後もしっかり観光して深夜便で日本へ。

深夜便 ハノイ・ノイバイ空港から日本へ

ハノイから行ける世界遺産

アレンジプラン

ニンビン ▶P.24

壮大な自然と歴史遺跡が点在する景勝地。手こぎボートで進むボートクルーズが人気。

アドバイス

チャンアン景勝地や古都ホアルー、タムコック渓谷など、見どころはいくつもある。目的を決めて目当てのツアーに申し込もう。

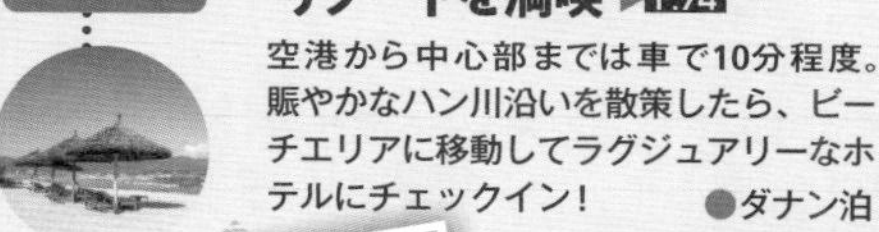

中部3都市周遊PLAN

歴史ある街並みと南国リゾートの両方楽しめる、中部3都市の4泊5日プラン。

リュクスなホテルでとびきりの贅沢を

午前便 日本からダナン空港へ

Day1 ダナン

ダナンに到着。発展都市とリゾートを満喫 ▶P.94

空港から中心部までは車で10分程度。賑やかなハン川沿いを散策したら、ビーチエリアに移動してラグジュアリーなホテルにチェックイン！ ●ダナン泊

Day2 ダナン ホイアン

至福の時間を過ごしたらホイアンへ出発 ▶P.110

ホイアン・エクスプレスなどで約1時間15分

ダナンでリゾートを満喫したあとは、古きよき街並みが残るホイアンへ。日が暮れると街中にランタンが灯り、幻想的な雰囲気に包まれる。 ●ホイアン泊

ゆったりと時間が流れる旧市街

Day3 ホイアン

古都ホイアンを散策

世界文化遺産にも登録されている美しい旧市街をのんびりお散歩。ランチには名物のホワイト・ローズを。●ホイアン泊

Day4 ホイアン フエ

ホイアンからフエへ ▶P.120

長距離バスやチャーターカーなどで約3～4時間

ホイアンからフエまでは車で3～4時間。一番の見どころである王宮のほか、貴重な世界遺産が多数残る。 ●フエ泊

Day5 フエ

午後便で日本へ帰国

宮廷料理やブン・ボー・フエなど名物グルメも存分に楽しんで、日本へ出発。

午後便 フエ・フバイ空港から日本へ

ダナン郊外の人気テーマパーク

アレンジプラン

バーナー・ヒルズ ▶P.98

ダナン郊外の新観光名所。「神の手」として知られるゴールデン・ブリッジが話題。

アドバイス

ダナン中心部から約25kmの山の上にあり、車で約40分。個人で行くのが不安な場合はツアーがおすすめ。

Vinh Ha Long

大小2000の奇岩が織りなす美景を船上から眺める

01 ハロン湾クルーズで神秘の世界を巡る

翡翠色の穏やかな海面に、大小2000もの奇岩や島が浮かぶハロン湾。世界遺産にも指定されているベトナム随一の景勝地だ。神秘的な世界をクルーズ体験で、心ゆくまで堪能したい。

ベトナム随一の景勝地!!

MAP 付録P.2 B-2

ベトナムきっての絶景
神秘の世界の中心を船で行く

ハノイの東、約180km。ハロン湾を囲むバイチャイとホンガイまではバスで3時間前後だ。ここではクルージングツアーが最大の楽しみ。船着き場から出た船がゆっくり、波のない翡翠色の海を進む。

緑色の奇岩や島々に囲まれた光景は非現実的な美しさで、しばしの別世界体験だ。「海の桂林」とも呼ばれ、氷河期時代に沈んだ石灰岩大地が長年、風雨や海水に浸食され生じたものだが、ここはベトナムに伝わる「天空から舞い降りた龍が火の玉を吹き出し、奇岩になった」という説が似合う。湾内ではティエンカインソン洞という鍾乳洞も見学できる。ハロン湾クルージングで、神秘の世界に浸ろう。

昼間の絶景も、サンセットの美景も
刻々と表情を変えるハロン湾の海景

天気が良ければ、時間の経過とともに多彩な表情を見せてくれるハロン湾。ハロン湾観光は日帰りツアーが多いが、宿泊ツアーで長時間滞在すると、昼間はもちろん、夕暮れどきなども、心が浄化されるような幻想的な眺めが楽しめる。

あたりが夜のとばりに覆われた頃、クルーズ船の灯りが鏡面を滑る幻想的な世界が出現

海面や奇岩の本来の色合いが心に染みるデイタイムのハロン湾。忘れられない神秘の世界

暮れゆく日差しを受けて奇岩が輝く時間帯や、日没寸前、オレンジに染まる光景も感動的だ

ハロン湾へのアクセス

ハノイから

ハロン湾クルーズの起点となるバイチャイまでバスで約3時間。ハロン湾クルーズは、ハノイ発のツアーの利用が一般的。ツアーは日帰りタイプと宿泊タイプがある。

おすすめツアー

●世界遺産ハロン湾 ~パラダイスエレガンス~

所要時間 1泊2日（約28時間） 料 US$360～

① トゥアンチャウ島からクルーズへ出発

モダンなスタイルの客船、パラダイス・エレガンス号で出航。奇岩のクルーズとホテルのような快適さを堪能。

② 船上の時間を満喫

ティートップ島でのハイキングや、奇岩に囲まれたルオン湖で大自然を満喫。日没後は船上でのイカ釣り、スパ、キャビンでの映画鑑賞を楽しむ。

③ 2日目は鍾乳洞見学を楽しんで下船

ハロン湾最大の石灰岩、スンソット洞窟を見学。船に戻り闘鶏岩を眺めながら朝食を楽しみ下船。専用車でハノイへ。

ツアー催行会社 スケッチトラベル
☎ 028-3820-7366
HP vietnam.sketch-travel.com
営 9:00 ～ 12:00、13:00～16:30 休 土・日曜、祝日 J E

●日帰りハロン湾クルーズ

所要時間 約9時間～10時間30分
料 US$180～
昼食付き。クルーズは3時間30分か6時間の2種から選べる。
ツアー催行会社 スケッチトラベル

●世界遺産ハロン湾とバッチャン村立寄り観光

所要時間 10時間 料 US$200～
ハノイ発、ガイド・昼食付き。人気のバッチャン村とハロン湾を1日で巡る。
ツアー予約先 HIS 海外オプショナルツアー予約 HP activities.his-j.com

大自然と遺跡群をたどる癒やしのボートクルーズ

02 林立する奇岩を眺めながら秘境ニンビンを旅する

Ninh Binh

ゆるやかに流れる川を船で進めば、奇岩や田園風景が現れては遠ざかる。いくつもの洞窟内でスリルを味わい1000年前の古都の遺跡群で歴史を偲ぶ、秘境の旅路。

MAP 付録P.2 B-2

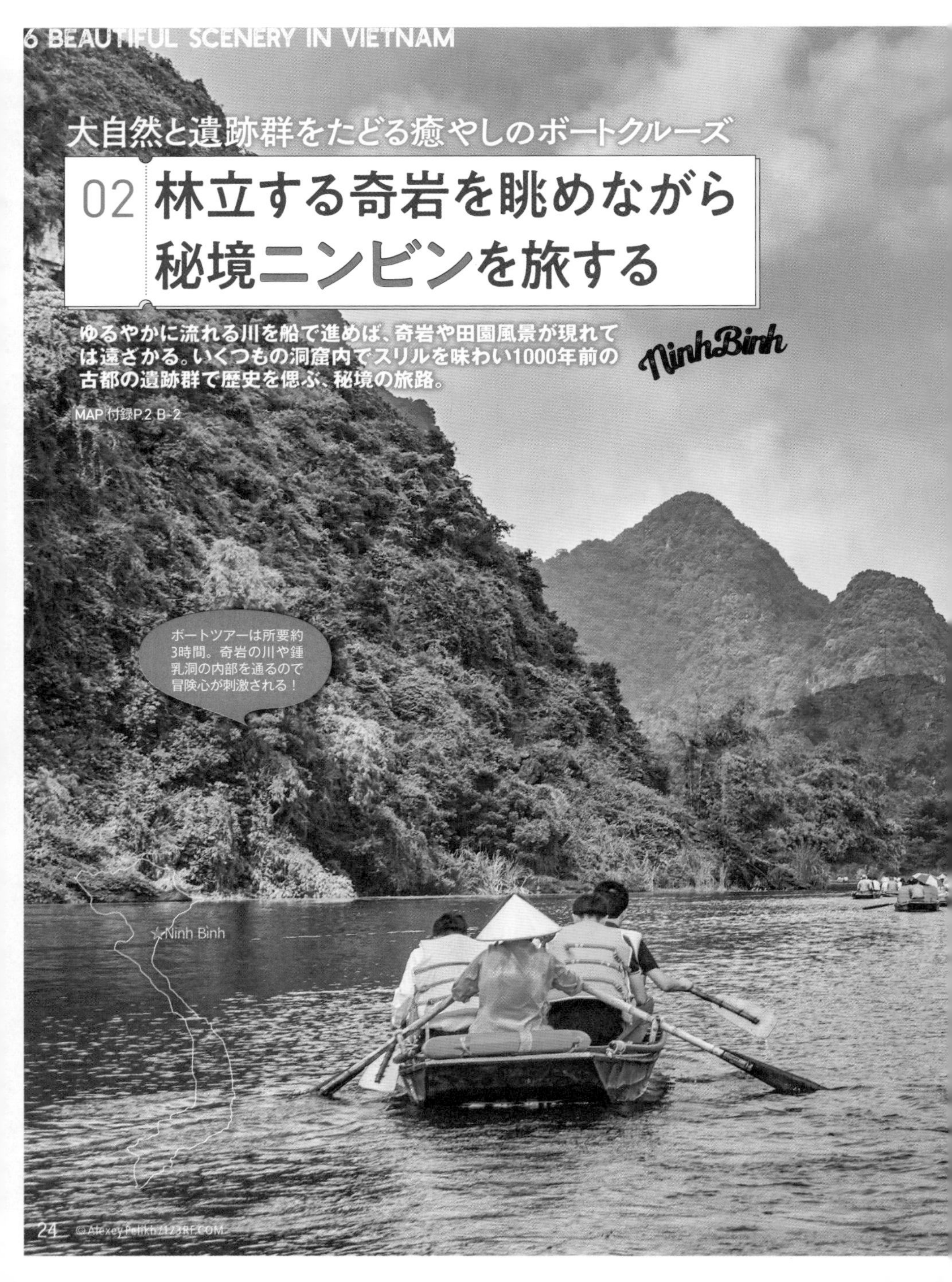

ボートツアーは所要約3時間。奇岩の川や鍾乳洞の内部を通るので冒険心が刺激される!

↑世界遺産の美しさに惹かれて
たくさんのボートが行き交う

奇岩奇峰が連なる風光明媚な景勝地や、遺跡群のある古都

ハノイから南へ約100kmのニンビン省。西部のホアルーは10～11世紀にかけ首都が置かれたベトナムの歴史上重要な古都であり、近年急速に発展が進んでいる。2014年にホアルーの遺跡群やチャンアンなどの景勝地、洞窟寺院を含むチャンアン複合景観が世界遺産に登録された。そのエリアは1万2000haにも及び、見どころが点在している。なかでも「陸のハロン湾」と呼ばれるチャンアンやタムコックは石灰岩の奇岩が連なり、幻想的な眺めが楽しめる。人気は手こぎボートでの遊覧。古都ホアルーや東南アジア有数の仏教寺、バイディン寺の見学を含む日帰りツアーで足を延ばしたい。

時間が止まったような世界がそこにある!

幻想的な水墨画の世界を進む

ベトナム語で「3つの洞窟」を意味するタムコック。その名のとおりこのエリアのボートツアーでは3回ほど真っ暗な洞窟内をくぐり抜ける。小高い山から望む楽園のような周辺の絶景に時間を忘れる。

タムコックの山頂に立つハンムア寺院。ハードな石段を上った先には息をのむ絶景が！

チャンアンの洞窟内は無数の鍾乳石が垂れ下がり、ぶつかりそうで頭を下げて進む場所も

そびえる奇岩奇峰の中に点在する仏教寺院。まさに水墨画の世界。心に染み入る景色だ

頂上からの眺め。田園風景や川の流れ、行き交う小舟など、記憶に残る美しい光景を一望

ディン・ティエン・ホアン廟。ベトナム北部を統一した初の独立王朝の初代皇帝らを祀る

ニンビンへのアクセス

ハノイから

列車で約2時間30分。バスで約2時間。チャンアン、タムコックなどの観光はボートツアーが一般的でハノイ発の日帰りツアーも多い。

おすすめツアー

●古都ホアルー&世界遺産チャンアン

所要時間 約10時間30分 料 US$105

① ホアルーの遺跡を観光

8時ハノイ出発、専用車でニンビン省ホアルーへ。2時間後到着。10時30分から遺跡を見学し12時30分に昼食。

② チャンアンでボートクルーズ

小船に乗り奇岩の景色を堪能し、コースによって3～4つの洞窟をくぐり抜ける。15時30分小船体験終了、帰路へ。18時30分頃ホテル着。

※ツアーにハンムア寺院を追加することも可能(有料)

ツアー催行会社 スケッチトラベル
DATA➡P.23

●バイディン寺・チャンアンクルーズ

所要時間 約10時間30分 料 US$110～

ハノイ発、日本語ガイド、昼食付き。東南アジア最大規模の仏教寺、バイディン寺観光のあと、チャンアンで絶景を眺めながらのクルーズを楽しむ。

ツアー催行会社 スケッチトラベル
DATA➡P.23

●ホアルーとチャンアン終日観光

所要時間 約9時間 料 US$150～

午前はホアルー観光、午後はチャンアンでクルーズを楽しむ。日本語ガイド・昼食付き。

ツアー予約先 HIS 海外オプショナルツアー予約 HP activities.his-j.com

原生林に覆われた秘境を抜け異世界のなかへ

03 フォンニャ・ケバン国立公園で洞窟探検

豊かな原生林に覆われた約8万6000haの国立公園。世界でもまれに見る美しい洞窟を擁し、2003年にユネスコ世界遺産に登録された。

MAP 付録P.2 C-2

地底湖のような神秘的な雰囲気のフォンニャ洞窟。川の水が山を削って形づくったもの

大小約300の鍾乳洞や世界最大の洞窟も擁する

鍾乳洞のなかでも特に人気なのが、フォンニャ洞窟、ティエンソン洞窟、ティエンドゥーン洞窟の3カ所。そのうちフォンニャ洞窟とティエンソン洞窟は同じ山に位置する。前者は地底の川をボートに乗って見学し、山の中腹にあるティエンソン洞窟は開けた一部の場所が一般公開され、徒歩で見学できる。一方、天国の洞窟と呼ばれるティエンドゥーン洞窟は、2つの洞窟から直線距離で約7km離れた山中にある。

約8kmの地底の川にあるフォンニャ洞窟では、ボートに乗って進み、一部を徒歩で見学する

洞窟学者が「世界のどの洞窟も比べ物にならないほど美しい」と絶賛するティエンドゥーン洞窟

03 PHONG NHA-KE BANG NATIONAL PARK HEADQUARTER

© efired/123RF.COM

© efired/123RF.COM

フォンニャ・ケバン国立公園へのアクセス

フエから

起点となるドンホイまでは列車で約3時間。フォンニャ・ケバン国立公園内の観光は、フエかドンホイ発のツアーに参加するのが一般的。ツアーは水量が安定する6～8月のみの開催が多い。

おすすめツアー

●日帰りフォンニャ洞窟（フエ発）

所要時間 約12時間30分 料 US$150～

① フエからフォンニャ洞窟へ移動

7時にフエ市内を出発。市内の主要ホテルへの送迎あり。

② ランチ後ボートに乗船

約4時間30分後ドンホイ着。ベトナム料理を味わった後、ボートに乗船。

© mihtiander/123RF.COM

③ フォンニャ洞窟を見学

ボートで約30分進み「風の牙の洞窟」と呼ばれるフォンニャ洞窟を見学。15時頃フエに移動、19時30分頃ホテル着。

© é»„ â···fé'§/123RF.COM

ツアー催行会社 スケッチトラベル
DATA➡P.23

黄金に輝く大河が育む手つかずの自然を進む

04 メコン川でジャングル・クルーズ

モーター船や小さな手こぎボートまで、いくつもの船を乗り継いでクルーズは進む

東南アジアを代表するメコン川はチベット高原を源流に、中国ほかの国々を経由しベトナムへ。4500㎞を流れる大河だ。 MAP 付録P.3 F-2

ヤシに囲まれた川は心躍る刺激的な世界!

Song Cuu Long

小さな木の船でワイルドにメコンのジャングルを進む

大河は長い年月をかけて下流に巨大な三角州、メコン・デルタを生んだ。その一角にあるミトーから中州の島々を船で巡る。アジア有数の穀倉地帯でもあるメコン・デルタは、支流や水路が血管のように延び、川沿いの町々に独自の文化を育んだ。島内のハチミツ農園やココナッツキャンディ工場、巨大寺院なども見学できる。人々の魅力的な暮らしにふれ、ヤシが茂る川を小さな船で進み冒険気分を満喫したい。

ニッパヤシが茂る細い水路が入り組むメコン・デルタ。クルーズでは中州の街にもアクセス

メコン川へのアクセス

ホーチミンから

メコン川クルーズの起点となるミトーまではバスで約1時間30分。ホーチミン発のツアーの利用が一般的だが、ミトーにある現地ツアー会社を利用することもできる。

おすすめツアー

●日帰りメコン河クルーズ

所要時間 約7時間 料 US$80～

①ミトー到着後クルーズに出発

ホーチミン市からミトーへ移動。現地到着後はボートにて対岸の中州の島へ。中州の島での体験後、このツアーのハイライトの手漕ぎボートでジャングルの中を進む。

②中州の島観光&ランチ

中州の島にあるココナッツキャンディ工場や果樹園を楽しんだ後、レストランへ移動し、地元料理の昼食。

※ビンチャン寺は混乗プランにはなく、プライベートプランのオプションです。

ツアー催行会社 スケッチトラベル

DATA➡P.23

●メコン河 夜の蛍クルーズ

所要時間 約5時間30分 料 US$110～

約1時間のメコン河サンセットクルーズで、蛍を観賞。島のレストランでは名物料理、象耳魚を楽しむ。

ツアー催行会社 スケッチトラベル

DATA➡P.23

●ミトーメコン川クルーズとクチ地下トンネル終日観光（昼食付き）

所要時間 約9時間30分 料 US$110～

ベトナム戦争時に南ベトナム解放戦線の基地だった地下トンネルを探険。その後、メコンクルーズを満喫する。

ツアー予約先 HIS 海外オプショナルツアー予約 HP activities.his-j.com

風がつくり出す砂の芸術が輝く奇跡

05 ビーチリゾートのムイネーで幻想的な砂漠を旅する

ベトナム南部のリゾート地、ファンティエットから東へ約23㎞、小さな漁村ムイネーは開発が進み、近年注目のビーチリゾートだ。空とのコントラストも映える赤と白の砂丘で、幻想的なひとときを過ごしたい。

赤色と白
2つの砂丘を巡る

Mui Ne

MAP 付録P.3 E-1

見渡す限りの絶景が待つ砂丘巡りツアーに参加

賑やかなファンティエットから東に向かうと、美しいビーチが視界に入る。ヤシの並木に囲まれた海岸沿いの約5㎞の道が、注目のビーチリゾート、ムイネーだ。もともと漁村でリーズナブルなリゾートホテルが多いことから評判となり、今や見渡す限りが砂丘地帯の絶景を求め、ファンティエットよりもここを目的とする人も多い。赤や白砂の砂丘、赤い谷など、自然が織りなす名所は必見だ。

黄色い砂丘はイエロー・サンデューンとも呼ばれる。赤にも黄色にも見える風紋が美しい

ムイネーへのアクセス

ホーチミンから

サイゴン駅からファンティエット駅まで列車で約4時間。ホテルが集まるムイネーの中心街までは車で約30分。

おすすめツアー

●列車で行く! ムイネー ファンティエット1泊2日

所要時間 1泊2日 料 US$439～

① 列車に乗って妖精の渓流へ

サイゴン駅からファンティエット駅まで列車で移動。ホテルでランチを楽しんで、妖精の渓流スイティエンを散策。

② 赤い砂丘を見学

ムイネー漁村や赤い砂丘の景色を楽しんだら、レストランで地元の海鮮料理を味わい、ホテルに宿泊。

③ 2日目は白い砂丘へ

2日目は真っ白な砂丘をバギーに乗って走るアクティビティ(有料)を体験。ワイナリー見学やレストランで地元料理を味わった後は列車でサイゴン駅へ。

ツアー催行会社 サザンブリーズトラベル
☎06-6133-5835(日本から)
☎028-3547-0621(ベトナム国内から)
所 1 Đ. Bạch Đằng, Phường 2, Tân Bình 営 8:00～16:30 休 無休
J E

© hanoiphotography/123RF.COM

サパ周辺の山中には少数民族の集落が点在。5～9月には棚田の感動的な光景が見られる

高原の避暑地に広がるアジア

06 少数民族が暮らす サパの天空の棚田

ハノイの北西約350kmにあるサパには、棚田が穂を揺らし民俗衣装の人々が暮らす。仏領の面影も残る天空の町を探索!

MAP 付録P.2 A-3

サパへのアクセス

ハノイから

夜行バスでサパまで約5時間。列車を利用する場合はハノイ駅からラオカイ駅まで8時間、ラオカイ駅からは路線バスとミニバンが運行しており、所要約1時間。ハノイのツアー会社で各種ツアーを催行している。

おすすめツアー

●専用車・日本語ガイドと行く サパ1泊2日

所要時間 1泊2日 料 $420

① 専用車でサパへ

7時、ハノイのホテルから専用車でサパへ。12時頃、サパに到着。

② トレッキングでタフィン村へ

少数民族、黒モン族と赤ザオ族の村、タフィン村をトレッキング。彼らが実際に住む民家を訪問する。

©JAKKREE THAMPITAKKULL/123RF.COM

③ 2日目は中国との国境付近へ

美しい棚田で有名なラオチャイやラオカイにある中国との国境付近を訪問。その後ハノイへ。

ツアー催行会社 スケッチトラベル

DATA➡P.23

トレッキングツアーで 高原の暮らしを間近に

中国との国境近くにある標高1600mの天空の町。日差しに輝く美しい棚田は、アジアの農村に共通の原風景だろう。年間を通じ17～23℃と過ごしやすく、仏領時代には外国人たちの避暑地となっていた。往時の欧風建築が今も残る界隈で、鮮やかな民俗衣装の人たちとすれ違う。周辺に点在する黒モン族やザオ族ら山岳少数民族の人々だ。近年はその集落へのトレッキングツアーが人気を集めている。

民俗衣装の人々が行き交う、フランス人が開拓した避暑地

集落には水牛も多い。昔ながらの農耕生活を営む

© Phuong Nguyen Duy/123RF.COM

HO CHI MINH

ホーチミン

幾多の歴史と文化の彩り

Contents

出発前に知っておきたい

どこに何がある？
どこで何する？

街はこうなっています！
ホーチミンのエリアと主要スポット

仏領時代の面影が残るノスタルジックなエリアを中心に、サイゴン川を挟んだ対岸には近代的な開発地区が広がる。街の西部にある中華街も人気のエリアだ。

コロニアルホテルの代表格マジェスティック・サイゴン

ショップクルーズが楽しいメインストリート

メイン
エリアは
ココ!!

A ドンコイ通り周辺 ▶P72

Đồng Khởi

19世紀の植民地時代に建てられた建築物が残るおしゃれなエリア。コロニアルホテルが点在し、古い建物には高級ブティックや雑貨店、人気飲食店が集まる、ホーチミン随一の繁華街。

必食グルメ満載！ホーチミン最大の中華街

B チョロン周辺 ▶P78

Chợ Lớn

ホーチミン市の西部に広がる、ベトナム在住華僑の街。文具店、布問屋、手芸品、漢方薬屋などが軒を連ねる活気あるエリア。寺院やマーケットにはぜひ立ち寄ってみたい。

ホーチミンってこんな街

市の中心は仏領時代のコロニアル建築が点在するドンコイ通り周辺。活気あるデタム通りの周辺は格安宿の多いバックパッカーらに人気のエリア。街の西部には国内でも最大級の中華街チョロンがある。交通量が多いのがこの街の特徴で、バイクや車に注意して旅を楽しもう。

各国のバックパッカーが集う賑やかなエリア

C デタム通り周辺

Đề Thám

ベンタイン市場の西側一帯は、安くて清潔なミニホテルや格安ツアー会社が集中するエリア。世界各国からバックパッカーが集い、夜遅くまで営業する屋台やカフェ、レストランも多い。

おしゃれなスポットが点在する注目タウン

D タオディエン ▶P.76

Thao Dien

中心部からサイゴン川を挟んだ対岸に広がる、今いちばんホットな開発エリア。富裕層や在住外国人向けのお店が集まり、おしゃれなショップやレストランが続々と誕生中。

サイゴン時代の面影が残る並木の美しい街

E 3区

Quan 3

ドンコイ通りの北に位置する、旧サイゴンエリア。行政機関や外国領事館が立ち並び、評判のレストランが点在。ピンク色のタンディン教会がランドマークで、美しい並木道が広がる。

タオディエン D
ホーチミンメトロ1号線
(2024年12月開業予定)
ィエンビエンフー通り
サイゴン川
サイゴン動植物園
聖母マリア教会
レタントン通り

A ドンコイ通り周辺
ベンタイン市場
デタム通り周辺

49階のサイゴン・スカイデッキから市内を一望できる

市内を蛇行するホーチミンの生活を支える川

サイゴン川

Sông Sài Gòn

市内を蛇行しながら流れる、古くからの交易拠点。現在も渡し舟やクルーズ船が行き交い、川沿いの遊歩道は市民の憩いの場でもある。

料理と景色を楽しむリバークルーズ

TRAVEL PLAN HO CHI MINH

至福のホーチミン モデルプラン

近代的なビルと、植民地時代の優雅なコロニアル建築が同居する南部最大の街、ホーチミン。熱気と喧騒を楽しみながら、日々進化するアジアの発展都市を歩いてみよう。

フレンチコロニアル様式で建設されたホーチミンの人民委員会庁舎

プランの組み立て方

❖ 主な観光スポットはドンコイ通り周辺に集まる
ホーチミンの見どころの多くはドンコイ通り周辺に集まっているので、まずはその周辺を歩いてみよう。市民劇場や人民委員会庁舎といったコロニアル建築も点在する。通り沿いにはおみやげ探しに最適な雑貨屋も多く、ショッピングも同時に楽しめる。

❖ ベトナムの朝を楽しむ
ベトナムの朝ごはんは手軽に食べられるフォーやバインミーが定番。早朝からやっている店も多いので、早起きして出かけよう。

❖ 夜はクルーズやショーへ
夜はベトナムならではのエンタメを楽しむのがおすすめ。豪華クルーズ船から夜景を眺めるサイゴン川クルーズやアクロバティックなAOショーなど、ここでしか味わえない楽しみがいっぱい。

❖ 市内の移動は徒歩とタクシーで効率的に
ベトナムのタクシーは日本に比べ格安なので、少し離れたスポットへはタクシーが便利。徒歩と組み合わせて上手に利用しよう。

豪華なサイゴン川クルーズもおすすめ

PLAN 1

見どころが集まる最も賑やかな観光エリア、ドンコイ通り周辺を歩く。

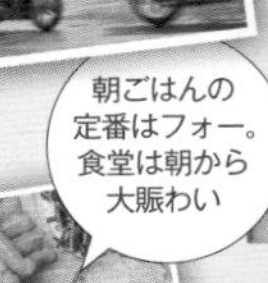

朝ごはんの定番はフォー。食堂は朝から大賑わい

9:00 コロニアル建築を訪ねて「東洋のパリ」を体感 ▶P.72

徒歩10分

ドンコイ通り周辺には仏領時代の面影を残すコロニアル建築が立ち並ぶ。東洋と西洋が融合する独特の雰囲気を味わいたい。

聖母マリア教会は2つの鐘楼が印象的なネオ・ゴシック様式のカトリック教会

アドバイス
ホテルや劇場などは基本的に利用者のみ入場が可能。聖母マリア教会は現在工事中で内部見学は不可。

12:00 ドンコイ通りでおみやげ探し ▶P.60

徒歩5分

通り沿いにはバッチャン焼や刺繍小物など、ベトナム雑貨のお店がいっぱい。

16:00 本格派コーヒーでひと休み ▶P.56

徒歩15分

休憩には本場のベトナムコーヒーを。フィルターでじっくり淹れた濃いコーヒーに甘いミルクがぴったり。

18:00 夜はモダンベトナミーズを堪能 ▶P.40

夜は人気のレストランへ。伝統的なベトナム料理をモダンにアレンジしたメニューに舌鼓。

⬇内装もセンス抜群

日本人の口にも合う創作メニューも多い

人気の食器ブランド、アマイのショップも必見

PLAN 2

おしゃれなタオディエンやチョロンなど、ディープなスポットに足を延ばしてみる。

ビストロ・ソン・ヴィやザ・デックなどサイゴン川の眺めを楽しめる店も多い

⬅タオディエンの人気フレンチレストラン、トロワ・グルマン

9:00 旬のスポットが集まるタオディエンを散策 ▶P.76

車で5分

ドンコイ通りから車で約20分。隠れ家的なカフェやショップが点在するタオディエンはホーチミン一の注目エリア。

12:00 ランチは本場仕込みのフレンチを ▶P.42

車で30分

実はフレンチもおいしいベトナム。瀟洒な邸宅レストランで絶品フレンチを。

14:00 極彩色の中華街、チョロンをお散歩 ▶P.78

車で20分

午後は賑やかな中華街、チョロンへ移動。渦巻きの線香で知られるティエン・ハウ寺やビンタイ市場を巡ろう。中華系グルメも要チェック。

天井から吊るされた大量の線香は圧巻

16:00 活気あふれるベンタイン市場へ ▶P.70

徒歩20分

ベトナムらしい雑貨や食みやげを探しに市場へ潜入。かわいい雑貨を見つけて、いざ値段交渉。グルメみやげはスーパーなどでも手に入る。

20:00 旅の締めくくりは極上のスパで ▶P.82

ホーチミンのスパはコスパ抜群。極上の癒やし体験がリーズナブルに味わえるのがうれしい。

ハイクオリティーなスパで旅の疲れを癒やそう

好みのままに。アレンジプラン

南部にはホーチミンのほかにも魅力的な場所がたくさんある。＋1日でツアーに参加してみては。

のんびり派におすすめ

フーコック島 ▶P.90

ホーチミンから飛行機で1時間で行ける離島。澄んだビーチとのどかな漁村が広がり、リゾートホテルが点在する。

島いちばんの透明度を誇るサオ・ビーチが人気

ベトナム戦争を深く知る

クチ ▶P.162

ホーチミンから車で1時間30分ほど。戦車の残骸やゲリラの地下トンネルなどを見学し、ベトナム戦争の記憶にふれることができる。

手漕ぎボートで大河を冒険

メコン川 ▶P.30

雄大なメコンデルタ地帯を手漕ぎボートなどで散策する。ツアーは各種あるが、密林をボートで進むジャングルクルーズがハイライト。

ホーチミンで花開いた豊かな食文化を満喫

おしゃれなモダンベトナミーズ4店

ハイセンスな空間で、味も見た目も進化したベトナム料理を満喫する楽しみ。ホーチミンで外せない、美食空間をセレクト。

店名は「ポピー」を意味する

ホア・トゥック

Hoa Túc

ドンコイ通り周辺 MAP 付録P.8 B-2

レストランはアヘン精製所を改築して2008年にオープン。細部までこだわったアイアン家具やステンドグラスなどのインテリアは店名どおり可憐な花を想起させる。

☎028-3825-1676 交市民劇場から徒歩2分 所74/7 Hai Bà Trưng, Q.1 営11:00～22:00 休無休

1.高い天井からのノンラー型の吊るし飾りが雰囲気を醸し出す店内 2.丸みを帯びた美しい建物は街の喧騒を忘れさせる 3.オリジナリティあふれる「エビ、イカと野菜のからし菜巻き」4.盛り付けも美しいハスの実のチャーハンもシグニチャーメニュー

予約必須のベジタリアンレストラン

フム・ベジタリアン・ラウンジ&レストラン

...hum Vegetarian Lounge Restaurant

3区 MAP 付録P.6 C-2

ベトナム伝統食を受け継ぎながら東南アジアのレシピも取り入れたフュージョンベジタリアンの店。メニューひとつひとつにこだわった美しい料理にリピーター続出。

☎089-918-9229 交市民劇場から徒歩10分 所34 Võ Văn Tần, Q.3, 営10:00～22:00 休無休

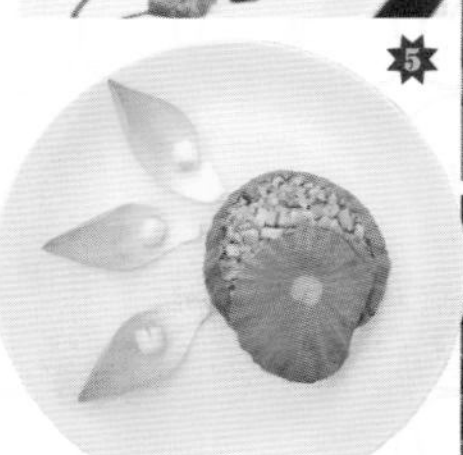

1.ブラウンを基調としたシックな店内で、ゆったりとくつろぎながら食事が楽しめる 2.外観は草花を取り入れた斬新なデザイン 3.緑豊かな園庭併設のタオディエンの店舗(32, D10 St., W. Thao Dien, D.2) もおすすめ 4.タロイモを揚げ野菜の器に仕立てた一品 5.見た目も美しいハスの実のチャーハン

洗練されたモダンベトナミーズ

ホーム・サイゴン

HOME Saigon

3区 MAP 付録P.6 C-2

フレンチヴィラを改装した隠れ家レストラン。店内は、伝統的な良さを生かしつつスタイリッシュにアレンジされている。料理は、南部の味付けと美しい見た目にこだわりを感じる品々。

☎085-727-5999 交 タンディン教会から徒歩13分 所 216/4 Điện Biên Phủ, Q.3 営 11:00～22:00(LO21:45) 休 無休

セットメニュー
set memu 55万VND～
8種類ほどのセットメニューが用意されている。何を食べて良いか決められない時はセットメニューを利用するのも良い

1.カウマウ産の蟹のトマリーソース115万5000VND 2.1階のダイニング。黄色の壁がとても印象的 3.ニャチャン産のロブスターのグリル148万5000VND 4.提灯がおしゃれに飾られ、気分を盛り上げてくれる

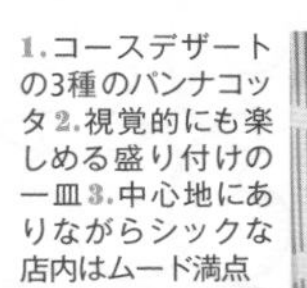

セットランチ
Set Lunch 14万5000VND
月～金曜日のお値打ちランチセットはメインにライス・スープ、炒め物、デザートが付く

ドレスアップして出かけたい

スー・レストラン・ラウンジ

Xu Restaurant Lounge

ドンコイ通り周辺 MAP 付録P.8 C-2

ベトナムとオーストラリア料理を融合させたフュージョン料理の先駆け的レストラン。オーストラリア産のメイン食材にベトナム産のハーブ・スパイスをうまく使った料理は新感覚の味。

☎028-3824-8468 交 市民劇場から徒歩2分 所 71 - 75 Hai Bà Trưng,Q.1 営 18:00～23:00 休 無休

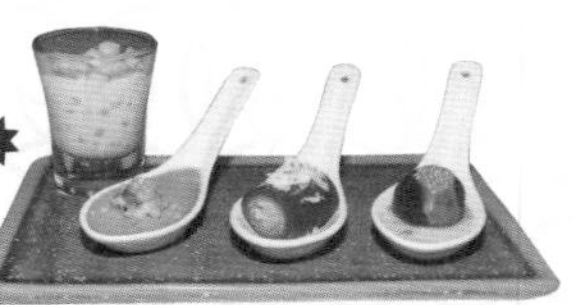

1.コースデザートの3種のパンナコッタ 2.視覚的にも楽しめる盛り付けの一皿 3.中心地にありながらシックな店内はムード満点

ランチコースメニュー
Lunch Course Menu
29万5000VND
スープorサラダ、メイン、デザートにコーヒーor紅茶が供される

新感覚ダイニングに注目!!

暗闇のなかで料理を楽しめると話題を集める、斬新なスタイルのレストランへ行ってみよう。

フランス語で「黒」の意味のお店

ノワール

noir

ドンコイ通り周辺 MAP 付録P.7 D-1

ベトナム初の真のダークコンセプトのダイニング。視覚障がいのある人によってすべてのサービス提供を行うまさに新感覚レストラン。

☎028-6263-2525 交 市民劇場から徒歩20分 所 A 178-180D Hai Bà Trưng,Q.1 営 11:30～14:30 17:30～23:00(LO21:30) 休 無休

➔食事を終えたあとに写真で答え合わせ

↓まずはここでチェックイン

地元グルマンが注目する気鋭のシェフがいる店へ

絶対美食のフレンチ 4 店

地元の美食家たちが集まる、街で評判のレストランを厳選。街でトップクラスのシェフたちが催す、食の饗宴を堪能しよう。

ビーフウェリントン
Beef Wellington
72万VND
パイ生地に包まれた牛肉はやわらかく、ポートワインソースでいただく一品

見た目の美しさも大満足

ピティ・サイゴン
P'ti Saigon

タオディエン MAP 付録P.9 B-2

本格フレンチが気軽に楽しめ、サタデーブランチ、サンデービュッフェが人気。開放的な店内にシックな内装で大人な雰囲気。カクテルやワインなどお酒も充実している。

☎028-3620-1880 ㊋タオ・ディエン・パールから徒歩10分 ㊎52 Ngô Quang Huy, Thảo Điền ㊌11:00～14:30/17:30～22:00(LO21:30) ㊡無休

↑料理を提供する演出も素敵で、宝箱のようなものに入れられて肉料理が運ばれる

↑グリルマンゴー、フルーツ＆ココナッツアイス添え25万VND

↑渡り蟹のタルタルとアボカドのワカモレ39万5000VND

↑屋外にある広い待合スペース。少し休憩をとるのにもよい

↑洗練されたダイニングは、特別な時間を演出してくれる

ワインと料理の相性が抜群

ラ・メゾンワインダイニング
La Maison Wine Dining

3区 MAP 付録P.6 C-1

クラシックなフランス料理をベースにベトナムの要素も取り入れたフュージョン料理。10時からオープンのため、ブランチを兼ねたミーティングや小さなパーティなどの利用もできる。

☎088-872-0646 ㊋タンディン教会から徒歩11分 ㊎201b Nam Kỳ Khởi Nghĩa,Q.3 ㊌10:00～22:00 ㊡無休

シャルキュトリーボード
Charcuterie Board
39万VND
厳選されたイベリコ豚の生ハムやオリジナルパテ、サラミなどをパンといただく

→黒毛アンガス牛を使用した、焼き加減が絶妙なサーロインステーキ48万5000VND/150g

↓貝を模した器に入り、イベリコ豚の生ハムが上に飾られているパンプキンスープ15万VND

↑ 店内は落ち着いた雰囲気。フランスの下町を思わせる屋外スペースもある

モダンなフレンチキュイジーヌ
ル・コート
Le Corto

ドンコイ通り周辺 MAP 付録P.8 C-2

控えめな外観の扉をくぐるとシックモダンな店内がお出迎え。階段を上がり2階席でいただくモダンフレンチは目に新しく、味は確か。サンデーブランチブッフェも好評だ。

☎028-3822-0671 交市民劇場から徒歩2分 所5D Nguyễn Siêu,Q.1 営11:15～14:30LO 17:30～21:30LO 休土曜11:15～14:30 E

⬇味覚だけでなく視覚でも楽しませてくれる斬新な一皿に足しげく通うリピーターも

フォアグラのソテー
Gan ngỗng áp chảo
58万VND
フォアグラをたっぷりのポートワインソースでいただく一品。おいしいワインと一緒にいただきたい

⬆ひとつひとつがボリューミーだがデザートも試してほしい

➡カマウ地方で採れたブルークラブ(蟹)の前菜46万VND

⬆レストランのマスコット、黒猫からインスパイアされた内装

本格フレンチならここ
シークレットワインズ
Secret Wine shop and Lounge

タオディエン MAP 付録P.9 B-2

フランスのミシュランを獲得したフランス人シェフが腕をふるう。ワインにとことん合う料理が探求されている。リピーターも多く、ワインショップも兼ねている。

☎083-397-6934 交タオ・ディエン・パールから徒歩5分 所47/1/15, Đ. Quốc Hương, Thảo Điền 営14:30～22:30/土曜11:00～15:30/17:30～22:30/日曜11:00～15:30 休月曜 J E

コールドカット プレステージプラッタ
Cold Cuts Prestige Platter 62万VND
ホームメイドピクルスが添えられた6種盛り合わせ

⬆コールドカットはもちろん、添えられたパンやバターまでおいしさがあふれる

⬆アボカドピューレがのったツナタルタル29万VND

⬆ホタテとゴートチーズのムースキッシュ22万VND

⬆黒を基調とした高級感のある店内

ホテルの高層階からきらめく街を一望

夜景自慢のレストラン&バー 3 店

街の喧騒を忘れさせる高層階から、サイゴン川や高層ビル群など、輝きに包まれ、昼間とは異なる魅力を放つホーチミンを一望。

Nice View
24階プールサイドのバーカウンターからの夜景にうっとり

5ツ星ホテルのルーフトップバー

ソーシャル・クラブ・レストラン・バー

Social Club Restaurant Bar

3区 MAP 付録P.8 A-1

ライトアップされたプールが非日常を演出するルーフトップバー&レストラン。地上24階の風を感じながら、ホーチミンの夜景を一望。感度の高い選曲も人気。

☎028-3989-8888 交市民劇場から徒歩13分 所23F, Hotel des Arts Saigon 76-78 Nguyễn Thị Minh Khai ,Q.3 営17:30～0:00 休無休

E E

➡南国気分を味わえる各種カクテルはSNS映えすると人気

⬇本格的なフレンチメニューも味わえる

⬇23階レストランでは5ツ星の雰囲気を堪能

Nice View
街の明かりがサイゴン川に映える最高の一瞬

ベトナム最高層からの絶景
ブランクラウンジ
Blank Lounge
1区北部 MAP 付録P.5 E-2

ベトナムでいちばんの高さを誇るビルの中にあり、ここからの眺めはどこからの景色よりもはるか遠くまでホーチミンの街を見渡せる。昼間も営業しているので、昼の眺望も楽しめる。

☎090-367-2944 ㊋市民劇場から車で13分 ㊖75&76F, Landmark 81, 208 Nguyen Huu Canh, Q.Binh Thanh ㊇9:30～23:30 ㊡無休 E E

⬆マジックアワーに染まる展望。週末は特に混み合うので、予約をするのがベスト

⬆何十種類もあるカクテルを作り出すスタッフの姿を見るのも楽しい

⬇ベトナムらしい名前のロータスタイキリ28万VND

リバーサイドもおすすめ!!
中心街から少し離れて、おしゃれなタオディエンにある、ロケーション抜群のダイニングもおすすめ!!

夕暮れのサイゴン川を眺める
ザ・デック
The Deck
タオディエン MAP 付録P.9 C-2

スタイリッシュなフュージョン料理はワインと合わせて。広い店内は開放感にあふれプチリゾート気分。

☎028-3744-6632 ㊋タオ・ディエン・パールから徒歩22分 ㊖38 Nguyễn Ư Dĩ, Q.2 ㊇8:00～24:00 ㊡無休 E E

⬆夕暮れどきはよりいっそうムーディに

⬅新鮮な魚介類と冷えた白ワインが合う

高級ホテルから楽しむ夜景
レベル23・ワインバー
Level 23 Wine Bar
ドンコイ通り周辺 MAP 付録P.8 C-2

シェラトンホテル内にある宿泊者以外でも利用可能なルーフトップバー。中心地に位置する抜群の立地で、カクテルはもちろん、好みのワインを片手にのんびり展望を楽しむのもおすすめ。

☎028-3827-2828 ㊋市民劇場から徒歩3分 ㊖80 Đông Du, Q.1 ㊇17:00～24:00 ㊡無休 E E

Nice View
バーからはグエンフエ通りやホーチミン市庁舎なども眺めることができる

⬇落ち着いた店内で特別なひととき

⬇時間を楽しみながらおしゃべりもはずむ

⬇ホテル外観。市民劇場近くの最高の立地

多彩な食文化が融合したローカルフードを味わうならここ!

南部の名物料理は間違いのない7店で

蒸し暑い気候から、砂糖やスパイスを多用した甘辛い味付けが特徴の南部料理。春巻などの定番から、日本では知られていない名物まで、必食メニューを制覇しよう。

南部が発祥といわれる生春巻のほか、現地でメジャーな揚げ春巻もぜひ試したい。

家庭料理と春巻ならここ

クアン・ブイ

Quán Bụi

ベンタイン市場周辺 MAP 付録P.7 D-3

おしゃれな店内でベトナム家庭料理が楽しめ、価格も良心的。春巻の種類も豊富でいろいろな春巻を一度に楽しめるプレートもある。写真付きのメニューもあり選びやすい。

☎028-6686-8478 交ベンタイン市場から徒歩2分 所222 - 224 Đ. Lê Thánh Tôn, Q.1 営7:00～23:00(LO22:30) 休無休

←食後を彩る「クリームパッションフルーツカスタード」5万9000VND

→店内で使用しているお茶碗を購入できる

↑壁を彩るベトナムをモチーフにしたポスターなども要チェック

↑カニの旨みをたっぷり含んだ春雨は美味

↓カニスープ一人前10万VNDもお忘れなく

カニ料理といったらここ！

トゥイー94

Thúy 94

1区北部 MAP 付録P.7 D-1

ホーチミンでカニを食べるならここといわれるほどの有名店。地元の人だけでなく、駐在員も足しげく通うこちらでは揚げ春巻だけでなく、人気の春雨もぜひ試してほしい。

☎028-3910-1062 交市民劇場から徒歩25分 所84 Đinh Tiên Hoàng,Q.1 営9:00～21:00 休無休

ベトナム料理なら何でもおまかせ

コム・ニュ・サイゴン

Cơm Niêu Sài Gòn

3区 MAP 付録P.6 C-2

空飛ぶおこげで有名なレストラン。ホーチミン市内でもなかなか食べられない花鍋を楽しむことができる。種類豊富なベトナム料理も魅力で店内の伝統的な雰囲気もよい。

☎090-130-1808 交 タンディン教会から徒歩15分 所 27 Tú Xương, Q1 営 6:00～23:00(LO22:30) 休 無休

↑店内はいつも地元の人で賑わう

↑空芯菜の炒め物は少しピリ辛

↑おこげと土鍋で炊いたご飯。2本のへらをしゃもじ代わりに使う

←店内は広く客席数も多いので、混んでいても少し待てば入れることが多い

定食屋さんに行ってみよう!!

街なかに点在するコンビンヤン(定食屋)でローカルの味にトライしよう!!

コンビンヤンの有名店

ドン・ニャン・コム・バーカー

Đồng Nhân Cơm Bà Cả

ベンタイン市場周辺 MAP 付録P.7 D-3

地元のビジネスパーソンだけでなく、外国人の利用も多い老舗食堂。ずらりと並んだ豊富な種類の料理を指差し注文したら席で待つシステム。

☎028-3822-1010 交 ベンタイン市場から徒歩5分 所 42 Trương Định,Q.1 営 9:00～15:00／16:00～20:00 休 無休

↑ベンタイン市場からすぐ近く

↑カウンターには肉や魚、豆腐料理が日替わりで所狭しと並ぶ

しっかりした味付けはクセになるおいしさ

↑ライスとスープは頼まなくてもサーブされる。おしぼりは有料

米粉にココナッツミルクと水を加えて作ったパリパリ生地と具材がマッチ!

連日満席の主役級バインセオ店

バイン・セオ46A

Bánh Xèo 46A

1区北部 MAP 付録P.6 C-1

パリパリの皮でモヤシやエビを挟んだ南部名物・ベトナム風お好み焼「バインセオ」。バインセオ専門店だけあり、具の量も選べる。生春巻などストリートフードも充実。

☎028-3824-1110 交タンディン教会から徒歩2分 所46A Đinh Công Tráng,Q.1 営10:00〜14:00／16:00〜21:00 休旧暦7・10月の15日、テト期間は10日間休み J E E

↑路地裏の一角でひときわ賑わうお店

→ボーヌンヴィ13万VNDは焼肉を香草とライスペーパーで巻いて食べる(左)。チャオトム15万VNDはエビのすり身をレモングラスに巻き付けたちくわ(右)

生地がやわらかめのフランスパンに野菜や肉を挟んだソウルフードを堪能!

↓食欲をそそるカットした断面

↑ホットサンドメーカーで焦げ目をつけたタイプも人気

→ブン・ティット・ヌーンをはじめ各種メニューも楽しめる

→イートインスペースは店頭奥にゆったりと

ローカルに愛される名店

ニュー・ラン

Như Lan

ドンコイ通り周辺 MAP 付録P.8 B-3

「バインミーならここは外せない」と長年愛され続ける老舗ベーカリー。自慢のパンに数種類の肉やハム、野菜があふれるほど挟まり、ボリューム満点。惣菜パンも豊富。

☎028-3829-2970 交市民劇場から徒歩10分 所50 Hàm Nghi,Q.1 営4:00〜20:00 休無休

コムタム

固めに炊いた米に炭火で焼いた肉などをのせた庶民の味。

8万5000VND
鶏の炭火焼き
Gà đùi nướng
炭火で焼いた鶏モモ肉は香ばしく、砕き米との相性抜群

3万5000VND
豚皮の千切り
Bi
ベトナム人おなじみの豚皮の千切りに副菜のコンビもGood

南部の庶民的な料理にトライ

コム・タム・トゥアン・キエウ

Cơm Tấm Thuận Kiều

1区西部 MAP 付録P.6 C-4

肉、玉子、野菜料理がずらりと並び、少し固めに炊いたご飯と一緒にプレートで味わうコムタム。炭火で香ばしく焼き上げた豚肉や空芯菜の炒め物など、なじみ深い惣菜が並ぶ。

☎028-3925-0935 交デタム通りから徒歩7分 所26 Tôn Thất Tùng,Q.1 営6:00〜21:00 休無休 E

↑広々として清潔な店内

←ショーケースには副菜となるおかずがずらり

↑さわやかな色合いがひときわ目立つ外観

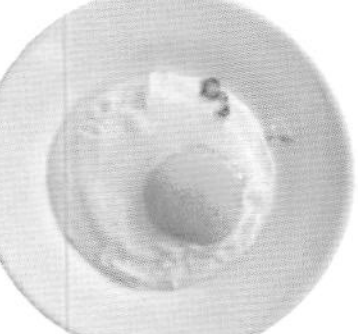

↑オプション一番人気の目玉焼も忘れずに

↑スタッフおすすめのインゲンと豚肉の炒め物

カン・チュア

タマリンドウをベースに具材を合わせた甘酸っぱいスープ。

15万8000VND
キダチデンセイの花スープ
Canh chua tôm bông điên điển
メコンデルタに群生する黄色の花をたっぷりと入れたスープ

→メインダイニングは入口を進んだ奥にある

ベトナム全土の味が楽しめる

ライス・フィールド

Rice field

ドンコイ通り周辺 MAP 付録P.8 B-3

ベトナムを代表する料理が揃い、それぞれの料理に写真が付いたメニューもあり注文しやすい。チキン4種盛りや串焼などビールに合うコンボメニューもおすすめ。

☎090-693-8636 交市民劇場から徒歩8分 所75-77 Hồ Tùng Mậu, Q.1 営10:00〜23:00(LO21:45) 休無休 E

←雷魚のスープ15万8000VNDは雷魚や茎芋、パイナップル、トマトと具だくさん

←イエライシャン(夜来香)の牛肉炒め16万8000VND

街なかにありながら伝統的な雰囲気

ホーチミンで南部、北部、中部の名物麺を堪能!!

6軒の名店で絶品麺料理を食べ比べ!!

多彩なベトナムの麺料理。定番のフォーのほかにも、ベトナムには地域ごとに特色ある麺料理が揃う。ホーチミンで、各地の味を試してみたい。

目抜き通りにあるフォーの人気店

フォー・ホア

Phở Hòa

3区 MAP 付録P.6 C-1

地元客・観光客で一日中人の絶えない名店。豊富なバリエーションのほかにバインバオ(ベトナム風肉まん)や甘味も楽しめる。オープンと同時に朝食を楽しむ人々で混雑必至。

☎028-3829-7943 交タンディン教会から徒歩7分 所260C Pasteur,Q.3 営6:00～22:30 休無休

▶**フォー・ガー** Pho Ga 9万VND～

長時間煮込んだスープにはだしがしっかり利いていてクセになるおいしさ。別添えの香草も投入して

↓具なしフォー3万VNDはベジタリアン向け

↑大通り沿いで賑わう店頭

↑広々とした店内は一日中満席

根強い人気の青空麺料理店

タン・スアン

Thanh Xuân

ドンコイ通り周辺 MAP 付録P.8 B-3

フーテウはベトナム南部の郷土麺。米で作られた細くて白い麺に甘辛タレ(汁なし)かスープをチョイス。開放感のあるオープンスペースで地元客と並んで食べよう。

☎090-954-2097 交市民劇場から徒歩6分 所62 Tôn Thất Thiệp,Q.1 営6:30～13:30 休毎月旧暦15日

フーテウ全部のせ Hủ tiếu đặc biệt tôm cua 7万VND

とろりとした甘辛のあんかけだれが後を引くおいしさ。具だくさんでお腹いっぱいに

↑お昼どきは近隣のビジネスパーソンで席はいっぱいに

▶**フーテウトム** Hủ tiếu tôm 7万VND

エビのたっぷりのったスープ麺はまた違ったおいしさが感じられる

コージーな空間でフエ料理を

ベップ・フエ

Bếp Huế

1区北部 MAP 付録P.6 C-1

ベトナム中部の郷土麺で、伊勢うどんがルーツともいわれるカオ・ラウが食べられる数少ないお店。そのほか南部では見かけない料理もあるのでお試しあれ。

☎028-2245-0707 交タンディン教会から徒歩5分 所89 Thạch Thị Thanh,Q.1 営7:30～21:00 休無休

↑らせん階段上には2階席もあって落ち着ける

▶**カオ・ラウ** Cao lầu 7万5000VND

カリっと揚げたせんべい、シュウマイなどの具だくさん汁なし麺を豪快に混ぜて食す

↓ブンボーフエ7万5000VNDももうひとつのフエの代表麺料理

北部の名物料理を食べるならここ
クアン・ネム
Quan Nem

1区北部 MAP 付録P.7 E-1

2003年に首都ハノイで創業されたお店で、ブンチャーと呼ばれる北部料理が食べられる。四角形のカニの身が入った揚げ春巻も有名で、ブンチャーのタレにつけて食べると絶品。

☎028-6299-1478 交 市民劇場から車で10分 所 15E Nguyễn Thị Minh Khai, Q.1 営 10:00~22:00(LO21:30) 休 無休

⬆ランチタイムは地元の人に加え観光客も訪れ、店内がとても混み合う

▶カニの揚げ春巻き chả giò cua chiên 7万9000VND

▶ブンチャー Bún Chả

炭火で焼き上げた豚肉とつくねをブンと呼ばれる麺とともにタレにつけていただく 8万9000VND

麺料理のきほん

好みにアレンジして楽しむのが麺料理の基本。押さえておきたいポイントをチェックしよう。

①ハーブをトッピング

パクチー、ミントなど別皿で出されるハーブを入れてみよう。

②調味料で味を調整

卓上のライムやチリなどを入れ好みの味を探すのもおすすめ。

③サイドメニューにも注目

定番の揚げパンはスープにひたして食べるのがベトナム流。

⬆店の目印はメニューが書かれた屋台

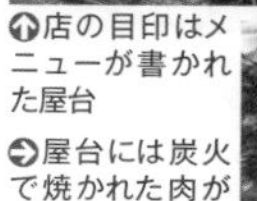

➡屋台には炭火で焼かれた肉が山積みにされ食欲を誘う

地元住民も通う麺料理の専門店
ブン・ティ・ヌオン
Bún Thịt Nướng

1区西部 MAP 付録P.4 C-4

ベトナム南部発祥の麺料理で、炭火で焼かれた肉と米粉で作られたブンと呼ばれる麺をよく絡めて食べる。ベトナム人からの支持が高く、早朝から営業している。

☎090-853-8079 交 ベンタイン市場から車で7分 所 175c Cô Giang, Q. 1 営 6:00~21:00 休 無休

⬆揚げ春巻入りのブン・ティ・ヌオン 5万5000VND

5万5000VND

▶ブン・ティ・ヌオン Bún Thịt Nướng

ピーナッツ、ニンジンなどのなますもトッピングされさらに食欲が増進される

▶ブン・ボー・フエ Bun Bo Hue 5万5000VND

牛から取った旨みの利いただしがベースの辛めスープと骨付き肉に太麺がベストマッチ

古民家風オープンエアレストラン
ブン・ボー・ガン
Bún Bò Gánh

3区 MAP 付録P.6 B-1

ベトナム北・中・南部の名物麺料理が味わえるお店。なかでもブン・ボー・フエは根強い人気。サイドディッシュやデザートのチェーもあり。

☎028-6684-3263 交 タンディン教会から徒歩10分 所 110 Lý Chính Thắng, Q.3 営 7:00~21:30 休 無休

⬇開放的なオープンテラス席。昼どきはお客でいっぱい

街で人気のフォトジェニック空間

映えるコンセプトカフェ7店

写真映えする店内や外観が評判のおしゃれなカフェが増加中!
見た目だけでなく、こだわりのスイーツやドリンクにも注目しよう。

パリを感じる高感度カフェ

ルージーン

L'Usine

ドンコイ通り周辺 MAP 付録P.8 B-1

カフェがあふれるホーチミンで、欧米人にも人気のカフェ。豊富なフードメニューも提供している。セレクトショップも併設しており、おしゃれな雑貨も揃う。

☎028-38227188 交市民劇場から徒歩8分 所19 Đ. Lê Thánh Tôn, Q.1
営7:30～21:30 休無休
E E

➡白い建物と緑豊かなエントランス

インスタ映えする韓国系カフェ

カフェ・ルイア

Cafe luia

タオディエン MAP 付録P.9 B-2

白をベースにしたおしゃれな店内で若者に人気。こだわりのコーヒーとオーガニックハーブティー、ベーグルなどが楽しめる。ベーグルサンドは軽食にも◎。

☎090-977-2510 交タオ・ディエン・パールから徒歩8分 所28 Ngô Quang Huy, Thảo Điền, Thủ Đức, Thành phố Hồ Chí Minh 営9:00～18:30 休無休
E E

入口を入ってすぐの店内は撮影スポットとして人気

➡カウンターで注文をしたら気に入った席へ

⬇ベーグルサンドイッチ「リコッタ・ サーモン」16万9000VND

⬆オリジナルブレンドの豆で抽出された深い味わい3万9000VND

⬅「ユジャハイビスカス」1番人気のゆずとハイビスカスのさわやかドリンク6万4000VND

➡白い店内はシンプルで落ち着いた雰囲気

⬅レストラン併設のセレクトショップはセンスの良い洋服や小物類が並ぶ

⬇カフェオおすすめのパンケーキはふんだんなベリーのトッピングがカラフル

Good Taste!

⬇バインミーもこちらのカフェにかかると、こんなにスタイリッシュな一皿に変身

Good Taste!

白を基調とした店内は、シンプルながら洗練された落ち着く空間

➡オリジナルグッズをおみやげに。写真はマグカップ

ベトナムカカオ香るショコラティエ

メゾン・マルゥ・サイゴン

Maison Marou Saigon

ベンタイン市場周辺 MAP 付録P.8 A-4

ベトナム産カカオ豆に魅了されたフランス人が手がけるチョコレートブランド。直営カフェでは、目にも美しいスイーツの数々が味わえる。おみやげにも人気。

☎028-7300-5010 交ベンタイン市場から徒歩5分 所167-169 Calmette,Q.1 営9:00〜22:00(金〜日曜は〜22:30) 休無休

E E

ポップなディスプレイの店内は、世界中から訪れる人々で賑わう

⬆イートインでいただくスイーツもチョコレートをふんだんに使用

⬇ショコラボックスギフトはショップ販売のみ(左)。実際に使用されているカカオニブのサンプル(右)

➡店内奥には製造ブースもあり間近で見学できる

⬇ベトナム国内の産地をまわり、選び抜かれた最高品質のチョコレート

テラス席は市民劇場を眺められる特別席

こだわりのベトナムの豆を使用

オッキオ

OKKIO

ドンコイ通り周辺 MAP 付録P.8 B-2

ドンコイ通りのアパート２階にある隠れ家カフェ。豆の特徴が詳細に記載された特別なコーヒーも味わってみたい。種類が多く悩んだときはスタッフに相談してみよう。

☎081-688-8955 交 市民劇場から徒歩1分 所 151 Đồng Khởi, Q.1 営 7:30〜22:00 休 無休

E E 💳

↑店内はおしゃれに敏感な地元の人や観光客であふれる

↑オリジナルブレンドの豆を購入することもできる

←小瓶入りコーヒーは、「独立」「自由」「幸福」などの名前がつけられている

↑4種類あるクロワッサンサンド。スクランブルエッグ11万9000VND

↑コンデンスミルクの入ったアイスコーヒー

最高のブレックファストを

ゴッドマザー・ベイク・アンド・ブランチ

Godmother Bake & Brunch

ドンコイ通り周辺 MAP 付録P.8 A-3

パンケーキやワッフルなどのスイーツはもちろん、コンブチャなどのヘルシードリンクやフードメニューも充実。

☎082-999-5777 交 市民劇場から徒歩7分 所 70B Lê Lợi, Q.1 営 8:00〜22:00 休 無休

E E 💳

ショーケースに並ぶスイーツは時間帯によって売り切れになることもある

↓受賞歴を持つパティシエ、キム・ナラエ氏によって生み出される見た目も味も素晴らしいスイーツも見逃せない

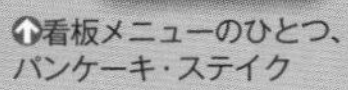

↑看板メニューのひとつ、パンケーキ・ステイク

↓ラテアートもキュート。そのほか充実のドリンクメニュー

↑窓際のカウンター席からは店の前の通りを見渡せる

オールデイユースに対応

プロパガンダ

PROPAGANDA

ドンコイ通り周辺 MAP 付録P.8 A-2

壁一面に広がるプロパガンダアート。バインミーなどの軽食からフォー、春巻、コムタム(ご飯プレート)なども味わえる。おしゃれにベトナム料理が楽しめる。

☎028-3822-9048 交市民劇場から徒歩10分 所21 Hàn Thuyên,Q.1 営7:30～22:30 休無休

↑生春巻だけで7種類も！写真はからし菜のスプリングロール。ピリッとした大人の味

→ジャーマグで提供されるアイスティーとカラマンシー

↑ベトナムクラフトビールも充実な品揃え。乾いた喉を潤そう

↑奥に延びるムーディな店内には欧米人客の姿も多い

ハイエンドなカフェでひと息

ルナム・ドール

Runam d'Or

ドンコイ通り周辺 MAP 付録P.8 A-1

聖母マリア教会脇で存在感を放つ高級感あるカフェ。開放感あふれるテラス席や豪華な店内でゆったりとくつろぎながらアフタヌーンティーを楽しんで。

☎028-3829-3229 交市民劇場から徒歩7分 所3 Công Xã Paris,Q.1 営7:30～23:00 休無休

↑観光地の中心ながらチルアウトに最適な雰囲気

→ひとつひとつ刺繍が施された豪華なギフトボックス

↑カフェでありながらフードメニューもホテルクオリティとの評判

↓最近見かけることが少なくなったベトナムスタイルのフィルターコーヒー

シックな店内はまるでどこかのVIPサロンを思わせる大人なムード

↑カフェ利用だけでなく、レストランとしてスタイリッシュなベトナム料理も楽しめる

本格派のサードウェーブコーヒーが増加中!!

コーヒー自慢のカフェ4店

厳選した豆を使い、ハンドドリップなど淹れ方もこだわった、極上の一杯が楽しめるカフェを厳選。進化するカフェカルチャーにふれてみよう。

ノマドワーカーが集うカフェ

ザ・ワークショップ

The Workshop

ドンコイ通り周辺 MAP 付録P.8 C-3

豆の産地や抽出方法にこだわって一杯ずつ心を込めて淹れた「スペシャリティコーヒー」を提供するカフェの先駆者。コーヒーの香り高い店内はいつも満席。

☎028-3824-6801 交 市民劇場から徒歩6分 所 27 Ngô Đức Kế, Q.1 営 8:00～21:00 休 無休

↑コールドブリュー(水出し)コーヒーも人気の一杯

↑気に入った豆を購入し自宅でも楽しめる

自家焙煎コーヒーが楽しめる

シン・ヘリテイジ

Shin Heritage

ベンタイン市場周辺 MAP 付録P.8 A-3

オーナーは日本で出会ったスペシャリティコーヒーをベトナムでも広めたいと豆からこだわったカフェをオープン。種類豊富なコーヒーで観光の合間にひと息いかが。

☎093-8888-6500 交 ベンタイン市場から徒歩1分 所 27 Lưu Văn Lang, Q.1 営 7:30～19:00 休 無休

↑コーヒーによく合うフードメニューも充実。ついつい長居しそう

↑エスプレッソもあり。毎日通っても飽きない

↑建物の3階まで階段を登るとロフト風店内が迎えてくれる

↑カラフルでおしゃれなコーヒーの箱がずらりと並ぶ

ダラット発のコーヒー専門店

ラーヴィエット・コーヒー

Là Việt Coffee

3区 MAP 付録P.7 D-1

ダラットに焙煎所とカフェの融合施設を経営する夫妻がホーチミンにオープンしたカフェ。焙煎にこだわった定番コーヒーのほか、オリジナルメニューも楽しめる。

☎033-360-3804 交市民劇場から車で10分 所191 Hai Bà Trưng, Q.3 営7:00～22:00 休無休

↑白を基調とし自然光が差し込む明るく開放的な店内

→カフェオリジナルのフォーモクテルコーヒー(左)。マルガリータ水出しコーヒーもお試しあれ(右)

↑オーナー自慢のコーヒー豆をおみやげに

↓開放的なテラス席でリラックス

スペシャリティコーヒー専門店

サイゴン・コーヒー・ロースタリー

Saigon Coffee Roastery

3区 MAP 付録P.6 B-2

落ち着いた雰囲気で街の喧騒を忘れられるカフェ。エアロプレスで淹れたコーヒーは独特の味わい。

☎0938-808-385 交タンディン教会から車で5分 所232/13 Võ Thị Sáu, Q.3 営7:00～22:00 休無休

↓白を基調とした明るくシックな店内

↑オリジナルコーヒーも販売しているので気に入った豆を購入可能

↓お願いするとラテアートを描いてくれる

本物志向のベトナムコーヒーならココ!!

高級ブランドの老舗カフェ

チュングエン・レジェンド・カフェ

Trung Nguyên Legend Café

ドンコイ通り周辺 MAP 付録P.8 B-2

言わずと知れたベトナム最大のコーヒー会社が手がけるカフェチェーン店。洗練された店内で伝統的なコーヒーが楽しめる。

☎028-3521-0194 交市民劇場から徒歩2分 所80 Đồng Khởi, Q.1 営6:00～22:00 休無休

↑ベトナム式のフィルターからゆっくりと抽出されるコーヒー

↑店内はモダンなデザイン

→ブレンドごとにナンバリングされるコーヒー豆

↑オリジナルのコーヒー豆ももちろん品質にこだわった一品

朝から並ぶたくさんのパンに目移りすること間違いなし

焼きたてパンの香りに包まれる幸せ時間

毎日通いたくなる こだわりベーカリー3店

ローカル御用達の人気ベーカリーには、飽きのこないシンプルなパンから、甘～いパンまで、おいしいパンがいっぱい!

健康志向のベトナム人にも人気

タルティーン・サイゴン

Tartine Saigon

3区 MAP 付録P.6 C-3

天然酵母にこだわったパンで市内に8店舗を展開。カフェも併設し、同店のパンを使用したサンドイッチなど、軽食も楽しめる。

☎093-202-9306 交市民劇場から車で12分 所14a Bà Huyện Thanh Quan, Q.3 営7:00～22:00 休無休

オープンサンドイッチ 10万9000VND
↑手作りパンに野菜たっぷりで満足度も高い

カヌレ 3万5000VND
←フランスのボルドー地方の伝統菓子

クロワッサン 4万VND
↑サクサクの食感がクセになり、また食べたくなる

ドーナッツ 5万5000VND
←ラズベリージャムがたっぷり入った手作りの一品

タオディエンの人気カフェ

サント・ノレ

Saint-Honoré

タオディエン MAP 付録P.9 B-2

多店舗展開する人気ベーカリー。欧米人好みなハード系なパンだけでなく、スイーツも充実。グラム売りの生ハムやチーズも購入できるのがうれしい。店内で軽食も。

☎028-3620-1816 交タオ・ディエン・パールから徒歩13分 所17 Trần Ngọc Diện, Q.2 営6:30～21:30 休無休

↑ショーケースにはケーキやスイーツがたくさん

アップルパイ 6万VND
↑ギザギザした形がかわいらしいリンゴのパイ

クロワッサンサントノレ 3万VND
←シグニチャーブレッドでお店の一番人気

パンオショコラ 3万9000VND
←少し温めてから食べたいチョコデニッシュ

秘密の隠れ家的なパン屋さん

ブルードリーム

Blue Dream

1区北部 MAP 付録P.6 C-1

路地奥へ入った場所にひっそりあるレトロ感あふれるお店。1階がかわいいパン屋スペースで心温まる雰囲気。上階には屋根裏部屋のようなファンタジー空間が広がる。

☎083-430-4050 交タンディン教会から徒歩2分 所67C Đinh Công Tráng, Q.1 営9:00～21:30 休無休

↑欧風のクラシカルな雰囲気がおしゃれな店内

ベーコンコーン 6万VND
→ベーコンとの組み合わせが絶妙な一品

コーヒーラムブリュレ 7万VND
←パンの上にかけられたソースが香ばしい

キャロットケーキ 4万8000VND
→レーズンがたっぷりのった人気のケーキ

バニラチーズクロワッサン 7万VND
→バニラチーズソースとクロワッサンの組み合わせが斬新

カラフルなビジュアルに心ときめく!

かわいくておいしい! ベトナムスイーツ3店

南国のスイーツタイムはこれで決まり! 定番スイーツから華やかに進化した最旬スイーツまでたっぷりご紹介!

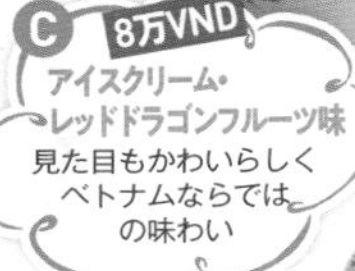

C 8万VND
アイスクリーム・レッドドラゴンフルーツ味
見た目もかわいらしくベトナムならではの味わい

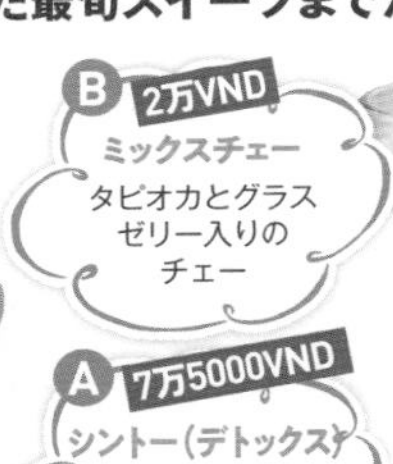

B 2万VND
ミックスチェー
タピオカとグラスゼリー入りのチェー

C 8万VND
チョコレートソルベ
ベトナム産チョコを使用したリッチなフレーバー。ミルク不使用

A 7万5000VND
シントー(デトックス)
バナナベースに葉物野菜、フルーツをミックス

A 4万VND
シントー(ストロベリー)
イチゴのさわやかな後味が人気

B 1万VND
バンフラン
ベトナムプリン。氷で冷やしながら食べる

C 19万VND
アイスクリーム3スクープ
脂質などもすべて計算された完璧なバランスの味が自慢

A スムージーの人気店

ジューシー
Juicy

1区北部 MAP 付録P.7 E-1

ベトナムの人気フルーツスムージー、シントー(SinnTố)。マンゴーなど新鮮フルーツたっぷり。

☎090-8895070 交市民劇場から徒歩16分 所18A Nguyễn Thị Minh Khai,Q.1 営7:00~22:00 休無休 E E

B おこわ有名店のデザート

ソイ・チェー・ブイ・ティ・スアン
Xôi chè Bùi Thi Xuân

1区西部 MAP 付録P.6 C-4

ベトナム風ぜんざいチェーと鶏おこわの老舗。フルーツやゼリーなどの具や温かい・冷たいが選べる。

☎028-3833-2748 交デタム通りから徒歩16分 所111 Bùi Thị Xuân,Q.1 営6:30~22:00 休無休

C 400種のレシピを持つ専門店

オスターバーグ・アイスクリーム
Østerberg Ice Cream

タオディエン MAP 付録P.9 B-2

オーナー自らがレシピを考案。定番と日替わりアイスが各6種類あり、どれでも均一料金で楽しめる。

☎076-865-6948 交タオ・ディエン・パールから徒歩8分 所94 Xuân Thủy, Thảo Điền 営11:00~22:00/土・日曜 10:00~22:00 休無休 E E

センスも品質もハイレベルな専門店がおすすめ

こだわりのベトナム雑貨11店

多くの雑貨店が軒を連ねるホーチミンで定評あるショップをご紹介。モダンなセンスを加えることで普段使いにもぴったりなアイテムが充実。

たくさんの雑貨が並び、宝探し気分も味わえる

最新デザインの籠バックなら

ハナ・ベトナム

Hana Vietnam

タオディエン MAP 付録P.9 B-2

在住者にも人気のお店。一軒家を改築したショップは広々とした空間で、ゆったりショッピングを楽しむことができる。人気のデザインや新しいデザインのバッグがずらりと並ぶ。

☎090-8011-836 交タオ・ディエン・パールから徒歩6分 所47/3 Đ. Quốc Hương, Thảo Điền 営10:00〜17:00 休日曜 J E

一軒家を改築したショップは広々

50万VND

プラカゴ
内ポケットとファスナー付き。ワンポイントにチャームも

45万VND

バッグ
丸みを帯びたシルエットがかわいく、中身がこぼれないように内袋付き

65万VND

バッグ
大きめサイズのバッグは使い勝手が良く根強い人気

40万VND〜

バスケット
天然素材のバスケット。サイズ違いで揃えても◎

大人気テーブルウェアブランド

アマイ

amai

タオディエン MAP 付録P.9 B-2

かわいらしくやさしい色合いと、温かみのある形で人気があるベトナムのテーブルウェアブランド。日本でも通販などで販売されているが、圧倒的にリーズナブルに購入できる。ドンコイ通りにもショップあり。

☎028-3636-4169 交タオ・ディエン・パールから徒歩6分 所83 Xuân Thủy, Thảo Điền, Q.2 営9:00〜20:00 休無休 E

カトラリー類はお手ごろ価格でおすすめ

46万VND/Mサイズ

プレート
深めプレート。ホッとする雰囲気はアマイの食器ならでは

各22万VND

カップ
小さめサイズのカップ。いろいろな使い方ができそう

通りに面した大きな窓ガラスを目印に店舗を探してみよう

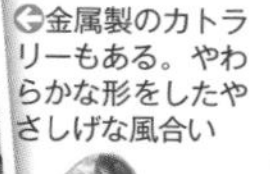
金属製のカトラリーもある。やわらかな形をしたやさしげな風合い

ティーポット
丸い形のティーポット。豊富なカラーから選べて楽しい

伝統技術を生かした新デザイン

トゥー・フー・セラミック

Tuhu Ceramics

タオディエン MAP 付録P.9 C-2

丸みのあるシルエットと素朴な色合いで多くの人を魅了するモダンなソンベー焼。伝統的なものを若い人たちに合う形で残したいという熱い思いを持つオーナー兼デザイナーが運営。

☎034-909-6060 交タオ・ディエン・パールから車で5分 所11/4 Nguyễn Ư Dĩ, Thảo Điền 営9:00～18:00 休無休 E

↑木々に囲まれた白い建物がおしゃれ

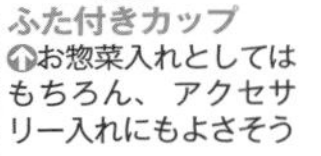

13万9000VND

ふた付きカップ

↑お惣菜入れとしてはもちろん、アクセサリー入れにもよさそう

34万9000VND

ポット

↑ぽてっとしたシルエットが魅力的。ほかの柄のものもある

お皿

↓手書きの水玉がかわいらしく、ポップに食卓を演出してくれそう

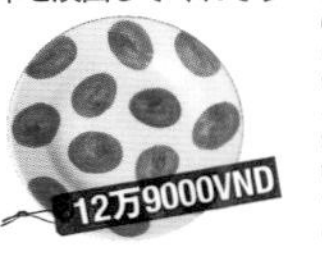

12万9000VND

各14万9000VND

お皿

↑ソンベー焼の伝統柄が施されたおしゃれな皿。カラーバリエーションあり

さまざまなジャンルの雑貨がずらりと並ぶ

各39万5000VND

↓おみやげを買い足したいときにも良さそう

↑ベトナムを象徴するイラストがデザインされたポーチ

レザーチャーム

↑動物をモチーフに革を用いてハンドメイドで製作

66万7700VND

ベトナム発ブランドに出会える

ザ・クラフト・ハウス

The Craft House

デタム通り周辺 MAP 付録P.6 C-4

ベトナムローカルブランドのコンセプトショップ。ベトナムらしさとおしゃれさを兼ね備え、お手ごろ価格のものも多数。中央郵便局そばとタオディエンにもショップあり。

☎090-991-042 交市民劇場から徒歩18分 所28 Nguyễn Trãi, Q.1 営10:00～22:00 休無休 E

木製プレート

↑3枚セットで、丸みを帯びたシルエットが美しい。四角もある

26万2000VND 4枚セット

コースター

↑ベトナムをモチーフにしたデザイン

65万VND

ソンベー焼

↑伝統的な花柄と素朴な風合いが魅力的なお皿

↑ワンピースのオーダーメイドや既製品も

ハンカチ

↓かわいい猫の刺繍が魅力で贈り物にもよさそう

35万VND

乙女心くすぐるオリジナル雑貨

キトショップ

Kito Shop

ドンコイ通り周辺 MAP 付録P.8 B-3

1999年創業の老舗雑貨店。商品はオリジナルデザインのため、ひと味違ったかわいい雑貨が手に入る。ベトナム人スタッフが日本語を話せるので、安心してお買い物ができる。服のオーダーメイドも可能。

☎028-3829-6855 交市民劇場から徒歩6分 所13 Tôn Thất Thiệp, Q.1 営9:00～20:00 休無休 J E

爪楊枝入れ

↓バッチャン村でハンドメイドで作られ、猫の顔が個性的でかわいい

35万VND

雑貨好き女子にはたまらない空間

プレミアムなリネンアイテム

カトリーヌ・ドゥヌアル・メゾン

Catherine Denoual Maison

ドンコイ通り周辺 MAP 付録P.8 B-2

ベトナム在住のフランス人デザイナーが手がける、プレミアムリネンブランド。高品質で洗練されたホームアクセサリーなどを展開。美しい刺繍も特徴のひとつ。

☎028-3823-9394 交 市民劇場から徒歩5分 所 38 Lý Tự Trọng, Q.1 営 9:00～21:00 休 無休 J E 💳

ショップは気品があふれるエレガントな空間

↑お店いち押しはベッドルーム用アイテム

140万VND～

リネンカバー付バスケット

→籐かごにリネンのカバー付きのバスケットはロングセラー商品

↑ランドリーソープや小物類も販売

→世界各国の最高級ホテル、スパ等で製品が採用されている

↑バッグだけでなくオリジナルピアスの取り扱いも

自分好みの色を選べるのもうれしい

バッグ

→ナチュラル素材のバッグに上質な布があしらわれる

89万VND

73万VND

バッグ

↑プラカゴをベースにベルベット素材をアレンジ

多彩な色と素材が揃う

ハンスリー

hansry vn

タオディエン MAP 付録P.9 B-2

プラカゴや天然素材のバッグをベースにした上質なデザインと豊富なカラーバリエーションが魅力。日本人がデザインを手がけ、ベトナムのていねいな手仕事が感じられる品々が並ぶ。

☎091-343-6846 交 タオ・ディエン・パールから徒歩12分 所 24 Thảo Điền, Thảo Điền 営 10:00～18:00 休 月曜 J E 💳

↑入口は、ルージンのカフェに併設される

ベトナムをデザインしたTシャツ

ギンコー・コンセプト・ストア

Ginkgo Concept Store

ベンタイン市場周辺 MAP 付録P.8 A-3

ベトナムをイメージしたコンセプトデザインが外国人旅行客から多大な支持を得ているショップ。服飾系アイテムのほか、帽子なども取り扱う。ホーチミン市以外にもショップを展開。

☎028-3823-4099 交 ベンタイン市場から徒歩2分 所 86 Le Loi, Q.1 営 8:00～22:00 休 無休 E 💳

↑ショップはイチョウの葉が目印

65万VND

Tシャツ

←↑「さりげなくベトナム柄」のTシャツ。レディース用、キッズ用もある

トートバック

↓「ベトナム電線」柄トート。ベトナムといえばの一品

51万VND～

ファッション小物も取り扱っている

レトロキッチュの雑貨なら
サイゴン・キッチュ
Saigon Kitsch

ドンコイ通り周辺 MAP 付録P.8 B-3

古き良き時代のベトナムのイメージに現代のポップさを加えてアレンジした、ちょっぴり不思議でキッチュなデザインのアイテムが揃う雑貨店。欧米系観光客に大人気のお店。

☎028-3821-8019 交市民劇場から徒歩6分
所43 Tôn Thất Thiệp, Q.1 営9:00～21:00 休無休 E

ショップは高島屋そば。見つけやすい

18万VND
ポーチ
ベトナムらしいイラストが付いたポーチ

28万VND
カバン
バインミーが描かれ、何でも気軽に入れられるサイズ感が魅力

カップ
ベトナム風アレンジの利いた『星の王子様』柄カップ
12万VND

クセになるかわいさのアイテムばかり

種類豊富。きっとお気に入りが見つかる

58万VND
マルチカラータイプ
マルチカラーバッグ。色の組み合わせ方で印象が変わる

40万VND
シンプルタイプ
シンプル&オーソドックスデザインのプラカゴバッグ

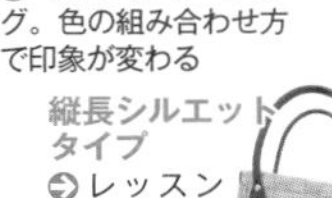
縦長シルエットタイプ
レッスンバッグとして購入する人も
48万VND

日系の老舗プラカゴショップ
ハッパーズ
Happer's

ドンコイ通り周辺 MAP 付録P.8 C-1

丈夫さとていねいな仕事にこだわるプラカゴ店は、日本人がオーナーの老舗。ベトナム人スタッフも日本語OKなので安心して買い物ができる。オーダーメイドも可能。

☎090-734-8407 交市民劇場から徒歩10分
所15A/39・40 Lê Thánh Tôn, Q.1
営10:00～19:00 休無休 J

55万VND
革ハンドルベーシックタイプ
持ち手部分が皮のベーシックタイプ。定番の人気商品

ハンドメイド製品や一点もの
ミステル
Mystere

ドンコイ通り周辺 MAP 付録P.8 B-2

アンティークショップのような雰囲気を醸し出すドンコイ通りの雑貨店。重厚で神秘的な品物が並ぶこのショップでは、かわいさよりもオリエンタルなベトナムにふれることができる。

☎028-3823-9615 交市民劇場から徒歩1分
所141 Đồng Khởi, Q.1 営8:30～21:30
休無休 E

各25万VND
ピアス
水牛の角を彫って作った、エキゾチックなデザインのピアス

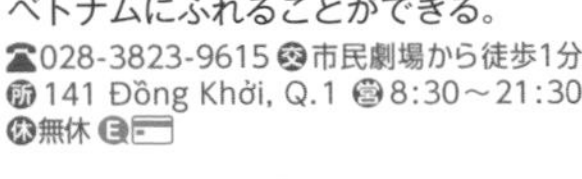
リング、ブレスレット、ペンダントなど、アクセサリーも豊富

ショップ入口。まるで美術館のよう

少数民族が作った布製品をオリジナルで仕立てた小物類もある

オーナー自ら買い付けた一点ものばかり

各52万5000VND
薬味入れ
蓮の花の絵の付いた薬味入れ。食卓のアクセントになりそう

ホーチミンの今を発信するおしゃれスポット

トレンドを生む リノベアパート③軒

センスあふれるショップやカフェ、レストランが集まるレトロなアパートで、ホーチミンのトレンドを感じてみたい。

⬇絵画店やカフェなど、パブリックスペースにも店が

ベトナム人のオシャレへの情熱はますます上昇中だ

⬆おしゃれなセレクトショップなど、トレンドの店が多い

⬆SNS映えしそうなインテリアのカフェは常に賑わっている

中央郵便局近くのレトロアパート

リートゥーチョン通り26番地アパート

26 Lý Tự Trọng

ドンコイ通り周辺 MAP 付録P8 B-2

中央郵便局や聖母マリア教会から徒歩圏内、ドンコイ通りとリートゥーチョン通りの交差点に立つアパート。古い歴史を感じさせる部分が随所に見られ、また建物のつくりがやや複雑なのでちょっとした探検気分も味わえる。

☎店舗により異なる 交市民劇場から徒歩4分 所26 Lý Tự Trọng , Q.1 営休店舗により異なる

➡人とバイクで混み合うアパートへの入口

このお店に注目

リベ
LIBÉ

ウェアラブルで飽きのこないアイテムを得意とするファッションブランド。クール、シンプル、ファッショナブルというコンセプトなだけあり、今どきのベトナム女子に人気。

☎028-3823-1989
営9:30～22:30 休無休 E 💳

⬅デザインはシンプル。大人の女性が気に入るアイテムもきっと見つかる

➡お店は2階。通りからもショップロゴが見える

➡スッキリとした店内には、トレンドのファッションアイテムがずらりと並ぶ

マオ・ア・チャイ
Mão A Chai

ハーブティーを中心としたお茶やタマリンドウやアプリコットなどベトナムで採れる果実ジュースが楽しめる。店内には、センスの良い雑貨や革製品なども置いてある。

☎036-587-1084 営7:30～21:30 休無休 E E 💳

⬆のんびりした空気が流れる店内のほかにベランダ席もある

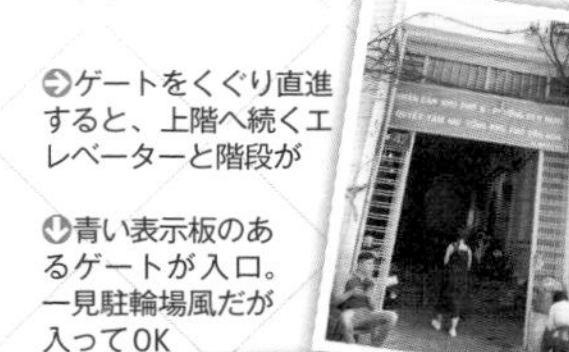

➡ゲートをくぐり直進すると、上階へ続くエレベーターと階段が

⬇青い表示板のあるゲートが入口。一見駐輪場風だが入ってOK

外観すらも映える話題のスポット

グエンフエ通り 42番地アパート

42 Nguyễn Huệ

ドンコイ通り周辺 MAP 付録P8 B-3

ホーチミンのおしゃれリノベアパートの先駆けとなった場所。10階建てのアンティークなアパートの中には、流行に敏感な若者に人気の店がひしめく。館内エレベーター利用には料金がかかるが、階段の利用のみなら無料。

☎店舗により異なる 交市民劇場から徒歩4分 所42 Nguyễn Huệ, Q.1 営休店舗により異なる

ノスタルジーとモダンがミックスされた内部

このお店に注目

サイゴン・オーイ
Saigon Ơi

眺めの良いパステルトーンのカフェでドリンクと軽食が楽しめる。

☎090-934-1006
営9:00～23:00 休無休
E E 💳

⬆窓際の席がおすすめ

ドッシュ
Dosh

注射器が刺さった奇抜でキュートなビジュアルのドーナツが売りのカフェ。こぢんまりした店内はいつも賑わっている。季節ごとに限定ドーナツが登場することも。

☎090-131-2205 営8:30～23:00 休無休 E E 💳

⬅インテリアはポップでキュート

ソルティド キャラメル

⬇甘さと塩味の絶妙なコンビネーション

ドーナツ マッドネス

⬆ドーナツonドーナツはまさにクレイジー

欧米人も多く訪れる

ドンコイ151番地アパート

151 Đong Khoi

ドンコイ通り周辺 MAP 付録P.8 B-2

おみやげ店が立ち並ぶドンコイ通りにあるアパート。秘密基地のようになっていて探検気分が味わえる。マニア心をくすぐるユニークなアイテムとの出会いも。一見絵画店にしか見えないが普通の通路なので入っていってOK。

☎店舗により異なる 交市民劇場から徒歩1分 所151 Đồng Khởi, Q.1 営休店舗により異なる

通路を進んでいくと各ショップへの入口がある

⬅入口は「アートアーケード」と書かれたところから

⬆さまざまなショップが並び、2階には人気カフェもある

このお店に注目

オッキオ
OKKIO

P.54

ラカフ
LACAFH

自家焙煎にこだわるコーヒー店。コーヒーを通してベトナム文化も広めたいという熱い想いのもと展開する。

☎086-202-0330 営9:00～17:00 休無休 E E 💳

⬅通常のコーヒーに加え、コーヒーを使ったオリジナルドリンクも魅力

ナチュラル志向の女子が通うショップに行きたい!

心も体も喜ぶナチュラルコスメがある2店

**ビューティ&ヘルシーへの意識が高いホーチミン女子が愛用するナチュラルコスメ。
天然素材を使用した、安心して使える高評価アイテムをゲットしよう。**

ベトナム発のナチュラルコスメ

ナウナウ

Nau Nau

ドンコイ通り周辺 MAP 付録P.8 B-3

環境に配慮した天然素材を成分にしたコスメで人気の自然派化粧品ブランド店。安心して使用できるうえに、パッケージもおしゃれ。肌質に合わせたパックはベトナム人女性のイラストが描かれおみやげに最適。

☎093-842-7834 交 市民劇場から徒歩5分 所 5F, 42 Nguyễn Huệ, Q.1 営 9:00～21:00 休 無休 E 💳

↑雑居アパートのどこか探すのも楽しい

↑ベトナムでしか手に入らないナチュラルコスメ

←40種類以上あるこだわりのあるオリジナル香水32万VND～

顔パック
→ベトナムの美しい女性たちが描かれたパッケージがかわいらしい

アロマキャンドル
←ハンドメイドで天然成分を使用

天然素材のナチュラルソープ

レー・マイ・アルティザナル・ソープ

Le Mai Artisanal Soap

タオディエン MAP 付録P.9 C-2

天然素材100％で作られたナチュラルソープのショップ。しょうがやレモングラスなどのベトナム産ハーブから作られたソープは香りも良くおみやげにぴったり。パッケージのデザインはアーティスティックで美しい。

☎093-813-7468 交 タオ・ディエン・パールから徒歩16分 所 23a, Đ. Số 1, Thảo Điền 営 10:00～18:00 休 祝日、4月30日、9月2日 E 💳

トラベルキット
→シャンプー、コンディショナー、シャワージェル、シャワーオイル各50mℓのセット

←種類豊富な石鹸。目移りは必至

↑緑の暖簾がかわいいショップエントランス

まとめ買いや買い足しのおみやげ探しにぴったり!

こだわり派におすすめの厳選みやげを購入

日本人にはなじみ深い高島屋がベトナムにも。素材にこだわったアイテムや、現地のリアルな食文化を体験できる商品などを販売している。

ブースごとにきれいに陳列された商品は選ぶ楽しさが倍増

おみやげ用お菓子を探すならここ

高島屋

Takashimaya

ドンコイ通り周辺 MAP 付録P.8 B-3

高島屋の地下2階にはベトナムを代表する箱菓子など食べ物系メーカーが15店舗も集結。カシューナッツを使用した贈答用のお菓子から気軽に渡せるものまで幅広いラインナップも魅力で、一度にいろいろ選べる。

☎091-649-1155 交市民劇場から徒歩6分 所92-94 Nam Kỳ Khởi Nghĩa, Q.1 営9:30～21:30(金～日曜9:30～22:00) 休無休 E 💳

➡チョコレートギフトボックス 22万5000VND

⬅モリンガ&ジンジャーティー 8万6000VND

⬆カシューナッツとカシューナッツのフロランタン 41万9000VND(12個セット)

⬅蓮の実のお菓子26万9000VND

➡ドライマンゴーのおみやげも人気 8万VND～

⬇高島屋はサイゴンセンターの中に入る

おみやげは、本物だけが集まるスーパーで選ぶのが正解!

品質重視のグルメみやげ探し

もらってうれしい、おいしいベトナムみやげを探すならハイセンスなスーパーがおすすめ。味はもちろん、おしゃれなパッケージの商品から、素敵なおみやげを探そう。

何でも揃うハイセンスマーケット

アンナム・グルメ・マーケット

Annam Gourmet Market

ドンコイ通り周辺 MAP 付録P.8 B-3

20年以上の歴史を持つスーパーマーケットチェーン。高品質で新鮮な食品が手に入ることから、在住者が厚い信頼を寄せる。ベトナム産食品以外にも世界各国から輸入された食料品を取り扱っており、珍しいものにも出会える。

☎039-2043674 交市民劇場から徒歩7分 所B2-11/12 Saigon Center, 65 Lê Lợi, Q.1 営9:30〜21:30(金〜日曜は〜23:00) 休無休 E 💳

↑モダンな店内。欧米系の利用客が多い

高島屋ベトナムの地下フロアにあるショップ

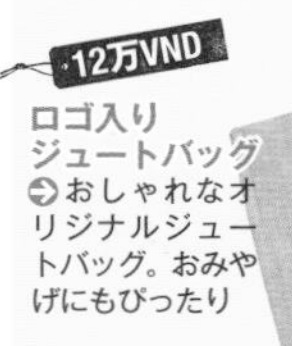

12万VND

ロゴ入りジュートバッグ

→おしゃれなオリジナルジュートバッグ。おみやげにもぴったり

↑海外産のさまざまな輸入食品も揃う

→目にも鮮やかな輸入菓子。この機会にトライしてみてはいかが

←世界各地のワインやさまざまなお酒もここでなら手に入る

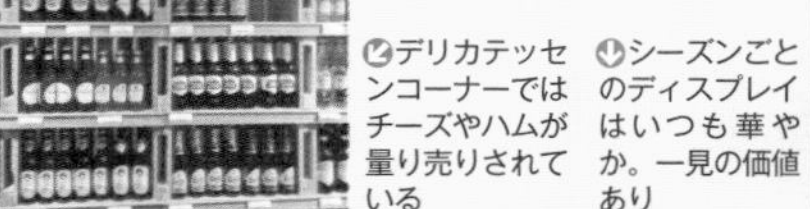

↙デリカテッセンコーナーではチーズやハムが量り売りされている

↓シーズンごとのディスプレイはいつも華やか。一見の価値あり

3万6000VND

La Fruit ルーツネクター

←ベトナム産最高級果物のみを使用したフルーツネクター

10万3000VND

リュウガンの花のハチミツ

→リュウガンの花のハチミツ。フルーティな味わいに感動

自分好みの小物や洋服を仕立てよう

気軽にオーダーメイド体験

生地もデザインも、自分の好みを生かして作るアイテムは、忘れられない逸品になる。日本よりリーズナブルに楽しめるので、気軽に挑戦してみよう。

ドンコイ通りから
すぐそばの好立地

カラフルな生地に
刺繍が施されるア
オザイ生地

オリジナルのアオザイをおみやげに

マングローブ

Mangrove

ドンコイ通り周辺 MAP 付録P.8 C-2

20年以上の経験を持つオーダーメイド服を専門とするお店。オーダーから1～2日で仕上げてくれるのも短期滞在者にとって大きな魅力。布は店内で選ぶこともできるが、持ち込みも可能。サンプル写真や服があるとより自分の理想に近いものを仕上げることができる。日本語が通じるのもうれしい。

☎090-339-1828 交 市民劇場から徒歩5分
所 20 Mạc Thị Bưởi, Q.1 営 9:00～17:00
休 無休 J E 💳

見たいといえば、
生地を引っ張り出
してくれる

ワンピース
↑店内にあるサンプルから形を選んでオーダーするのも◎。100万VND(布代込)～

アオザイ
←襟元や袖丈など自分らしくできるのがオーダーメイドの良さ。100万VND(布代込)～

プチプラアイテムが揃う巨大マーケット

活気あふれるベンタイン市場でお買い物三昧

約1万㎡の巨大な敷地を持つホーチミン最大の市場は、おみやげ選びに最適なスポット。ベトナム雑貨の宝庫で掘り出し物を探してみよう。

➡ココナッツの皮と螺鈿細工がかわいらしい器

5万VND

交渉次第でお値打ち品ゲット

ホーチミン最大規模の市場には連日多くの観光客が訪れる。衣類や日用品、食器、コスメ、食料品におみやげ品と何でも揃う。定価がない店が多いのでまずは言い値の半額から交渉スタート。ただしマナーをわきまえたショッピングを楽しんで。

⬅夏に気軽に持ち歩くのに良いデザイン

40万VND

ベンタイン市場

Chợ Bến Thành

ベンタイン市場周辺 MAP 付録P.8 A-3

☎028-3829-9274 交 市民劇場から徒歩10分 所 Chợ Lê Lợi, Bến Thành,Q.1 営 6:00〜19:00 ナイトマーケット19:00〜22:00 休 無休

⬅マンゴースムージーは市場歩きの定番

3万VND

ÁNH CH
デザイン豊富な水草カゴバックのお店が今一番人気
場内の飲食エリアにはチェーなどのお店もある
夜の屋台にも注目!!
夜19時過ぎになるとどこからか屋台が集まり、ナイトマーケットが営まれ、昼間と違った顔を見せる。
10万VND
←螺鈿細工のプレート。内側の柄はいろいろ
CHỢ BẾN THÀNH
フランス建築と時計台が特徴的なベンタイン市場
ずらりと並べられた商品の数々からお気に入りを探そう
08 27 27 27
ホーチミン
基本情報
グルメ
ショッピング
歩いて楽しむ
ビューティ
ステイ
ワンデートリップ

ショッピングストリート周辺で建築美に感動

街のメインエリアで名建築をたどる
ドンコイ通り周辺 BEST SPOT 6

↑現在も政府機関の施設として利用される人民委員会庁舎

セレクトショップや海外ブランドの店が立ち並び、ほかと景色が異なるベトナム随一のショッピング街。東洋のパリと呼ばれた時代を偲ばせる建造物は必見!

カフェや雑貨ショップも点在 ベトナムの今が味わえる街

聖母マリア教会からサイゴン川までの目抜き通りに、ハイエンドなブランドショップや高級デパート、老舗ホテル、役所などが立ち並ぶ。コロニアル様式やイタリア・ルネサンス様式など19世紀後半の建物がフランス統治時代を偲ばせる。そのなかに高層のファッションビルが立ち新旧の見どころが共存。ベトナム雑貨のおみやげ探しにも最適なエリアだ。

街の景色を楽しみながら、雑貨天国の実力を満喫する

赤レンガ造りのカトリック大聖堂

1 聖母マリア教会

Nhà Thờ Đức Bà

MAP 付録P.8 A-1

19世紀末、フランス統治時代に建てられたカトリック教会。サイゴン大教会とも呼ばれ、日曜のミサには屋内に入りきれないほどの信者が訪れる。2024年7月現在は改装工事中で立ち入り不可。

☎028-3829-4822 交市民劇場から徒歩7分 所1 Công xã Paris,Q.1 開休料外観のみ見学自由

→門には聖書の一節をモチーフにしたオブジェが輝く

↑正面には名前の由来になった聖母マリア像が立つ

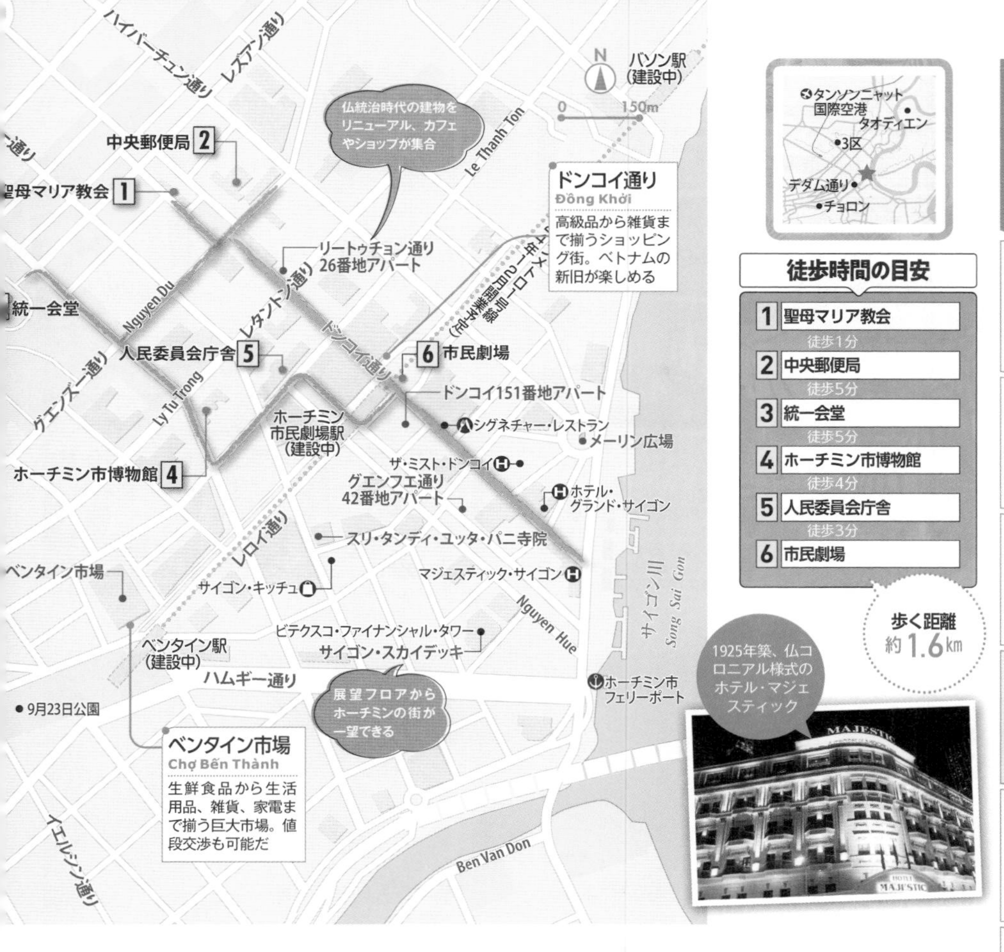

建築文化財認定の郵便局

2 中央郵便局

Bưu Điện Trung Tâm

MAP 付録P.8 A-1

19世紀末にフランス人建築家によって建てられた、細かな装飾が美しい建築物に入るとタイムスリップした気分。現在も郵便局としての機能を果たし、観光名所として毎日大勢の人々が訪れる。

☎1900-545481 交市民劇場から徒歩7分 所2 Công xã Paris,Q.1 開7:30～18:00(土・日曜8:00～17:00) 休無休 料無料

➡黄色い建物がひときわ目立つ外観

⬆アーチが美しい天井奥にはホー・チミンの肖像画

⬆電話ボックスの上には当時の地図が飾られている

⬆ベトナム人建築家が設計

南ベトナムの旧大統領官邸

3 統一会堂

Hội trường Thống Nhất

MAP 付録P.7 D-3

ベトナム戦争時は「独立宮殿」と呼ばれ、1975年に北ベトナム軍の戦車が門を突破し終戦。大統領指令室や通信センター、豪華な調度品の応接室などがあり博物館として一般公開中。

⬆内閣会議室。館内にはヘリポートや地下トンネルも

☎028-3822-3652 交 市民劇場から徒歩11分 所 135 Nam Kỳ Khởi Nghĩa St.,Q.1 開 8:00〜16:00（チケット販売は〜15:30）休 無休 料 4万VND

独立への歩みが展示されている

4 ホーチミン市博物館

Bảo tàng Thành phố Hồ Chí Minh

MAP 付録P.8 A-2

フランス植民地時代に官僚邸宅として建てられた。白亜の美しい建物はベトナム共和国時代の大統領が身を隠したことでも有名。現在は博物館として抗仏戦争、ベトナム戦争当時の貴重な資料が展示されている。

☎028-3829-9741 交 市民劇場から徒歩10分 所 65 Ly Tu Trong,Q.1 開 8:00〜17:00 休 無休 料 3万VND

⬇写真や武器など、現物が保存展示されている

⬆正面入口。威風堂々としたたたずまいで多くの観光客を出迎える

夜間ライトアップも美しい

5 人民委員会庁舎

UBND Thành phố Hồ Chí Minh

MAP 付録P.8 B-2

ホーチミンのメインストリートであるグエンフエ通りの端に位置し、フレンチコロニアル様式の荘厳な建築が目を引く庁舎。20世紀初めに建てられた当時の外観は昼と夜で異なる趣を持ち訪れる人々を魅了する。

交 市民劇場から徒歩3分 所 86 Lê Thánh Tôn,Q.1 開 見学自由(内部の見学は不可) 休 無休 料 無料

➡庁舎前正面の公園にはホー・チミン像が立つ

⬇アーチ型のファサードは装飾も豪華で美しい

⬇ホーチミンが誇る美しい建築

バロック様式が美しい観光名所

6 市民劇場

Nhà hát Thành phố Hồ Chí Minh

MAP 付録P.8 B-2

オペラ・ド・サイゴン劇場として1897年に建築された歴史ある淡いピンクの建物は、劇場やイベント会場として現在も利用されている。

☎028-3829-9976 交 ベンタイン市場から徒歩12分 所 Công Trường Lam Sơn,Q.1 開 休 料 プログラムにより異なる

周辺スポット カラフルでかわいい!! インスタ映え建築

ドンコイ通りの周辺や、少し足を延ばした3区にあるフォトジェニックな建物で写真撮影を楽しもう。

タンディン教会

Nhà thờ Tân Định

MAP 付録P.6 C-1

SNSから火がつき、ホーチミンの最旬フォトスポットとして今や大人気の教会。3区のローカル風情漂うなかに現れるたたずまいは愛らしさ満載。教会内部の見学は現在不可。

☎028-3829-0093 交市民劇場から徒歩25分 所289 Hai Bà Trưng, Q.3 開8:00~11:30／14:00~17:00 ※日曜は立ち入り不可、教会内部の見学は不可 休無休 料無料

空に向かって真っすぐにそびえたつ姿はホーチミンで2番目の大きさ

文字盤にハートと十字架があしらわれた愛らしい時計も写真に収めたい

日本のエンボスタイル使用

スリ・タンディ・ユッタ・パニ寺院

Sri Thenday Yutta Pani

MAP 付録P.8 B-3

髙島屋の裏手にあるヒンドゥー教寺院。どこか懐かしさを感じるレトロかわいいタイルは実は日本製。極彩色で描かれた神々も興味深い。

交市民劇場から徒歩7分 所66 Tôn Thất Thiệp,Q.1 開6:00~18:00 休無休 料無料

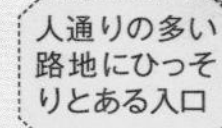

人通りの多い路地にひっそりとある入口

街なかとは思えない静謐さに時間を忘れる

サイゴン・セントラル・モスク

Saigon Central Mosque

MAP 付録P.8 B-2

シェラトンホテルの横に広がる異空間。インドのムスリムによって建てられた礼拝堂には熱心に祈りをささげる信者の姿が。節度を保って見学しよう。

☎028-3824-2903 交市民劇場から徒歩3分 所66 Đông DuX,Q.1 開8:00~19:00 休無休 料無料

色鮮やかな外観が目を引くアラビアンなイスラムモスクは見学自由

ホーチミン在住信者の拠り所となっている

開発が進むおしゃれエリアをお散歩!!

タオディィエン BEST SPOT 4

中心部からサイゴン川を隔てたエリアは現在注目の的。再開発の街ならではの優雅でスタイリッシュな雰囲気とここならではのカフェやショップをゆったり味わいたい。

ひと味違うベトナムのトレンドに出会える街

開発中のタオディエン地区は富裕層向けのヴィラやマンションが並び、セレブなムードの街だ。スタイリッシュなショッピングセンターをはじめ、ここにしかない雑貨を揃えたセレクトショップなども点在する。西洋料理やベトナム料理を落ち着いた雰囲気で楽しめるレストランも多く、ゆったり過ごしたい日におすすめ。おしゃれな雑貨探しにも最適。

中心地にある、サイゴンスカイデッキからのタオディエンの眺め

開放的な庭でのんびり時間

1 ヴィラ・ソン・サイゴン
Villa Song Saigon

MAP 付録P.9 B-1

サイゴン川を眺めながらの優雅な時間を約束してくれる場所。宿泊はもちろん、レストランやプールだけでも利用ができる。スタッフのやさしい笑顔にも癒やされる。

☎028-3744-6090 交タオ・ディエン・パールから車で7分 所197/2 Nguyễn Văn Hưởng, Thảo Điền 営6:30〜23:00 休無休

⬇パンケーキ(17万VND)から本格的な料理まで幅広いメニューがある

⬇おしゃれな内装のブティックホテル

⬇白亜の美しい建物がシンボル

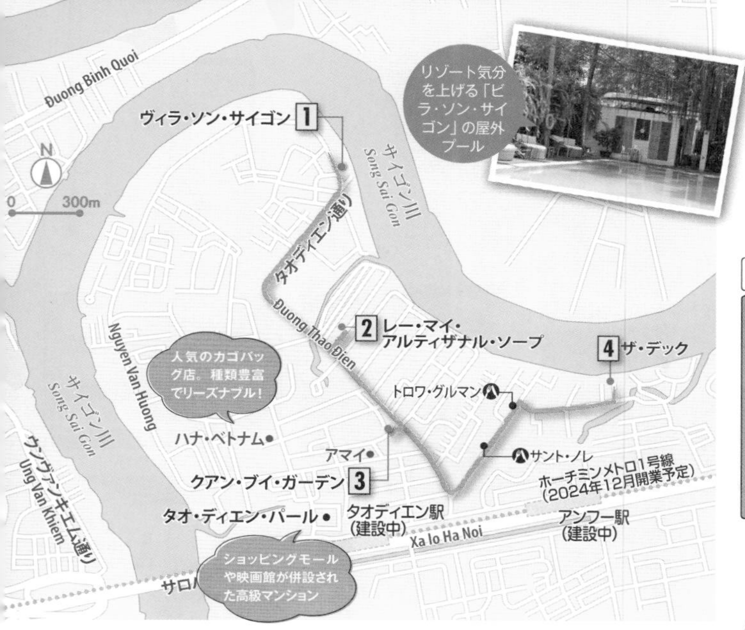

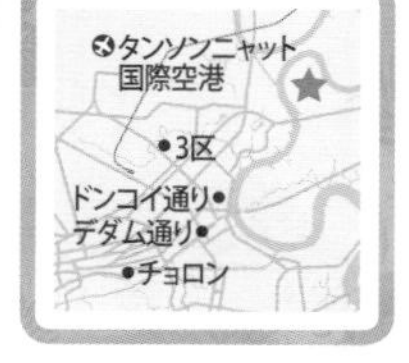
リゾート気分を上げる「ビラ・ソン・サイゴン」の屋外プール

タンソンニャット国際空港
3区
ドンコイ通り
デタム通り
チョロン

徒歩時間の目安

1 ヴィラ・ソン・サイゴン
徒歩8分
2 レー・マイ・アルティザナル・ソープ
徒歩17分
3 クアン・ブイ・ガーデン
徒歩21分
4 ザ・デック

歩く距離 約3.3km

ベトナム発のナチュラルソープ

2 レー・マイ・アルティザナル・ソープ

Le Mai Artisanal Soap

MAP 付録P.9 C-2

タオディエンまで遠出をしたならぜひ立ち寄りたい。ナチュラルソープをはじめ香りに関わる商品が並ぶ。

▶P.66

シックな店内には、製品が美しく陳列される

レストラン併設の雑貨が人気

3 クアン・ブイ・ガーデン

Quan Bui Garden

MAP 付録P.9 B-2

市内に数店舗構えるベトナム料理レストランもタオディエンは緑豊かなガーデンヴィラの店構え。散策に疲れたらちょっとひと休みはいかが。

☎028-3898-9088 交タオ・ディエン・パールから徒歩8分 所55A-55B Ngô Quang Huy, Thảo Điền, Q.2 営7:00～23:00 休無休 E E カード

人気のソンベー焼もここで入手可能

レストランで提供しているコーヒーやお茶の販売も

広々とした外庭も南国情緒たっぷり

白と青のコントラストが美しいベトナム産食器がずらり

美景を楽しむリバーサイドレストラン

4 ザ・デック

The Deck

MAP 付録P.9 C-2

ランチ・ディナーと時間帯によって雰囲気が変わり、メニューも別のものが用意されている。朝食メニューが豊富なのもうれしい。

▶P.45

開放的なテラス席で料理を堪能

大きな窓からサイゴン川を眺められる

ベトナムと
中国のテイストが
融合!!

徒歩時間の目安

1 ビンタイ市場
徒歩3分
2 チー・トゥー
徒歩13分
3 オン・ラン會館
徒歩4分
4 ティエン・ハウ寺

歩く距離
約1.6km

チャイナタウンで市場&寺院巡り!!

チョロン周辺 BEST SPOT 4

**ホーチミンの西側にある市内最大の中華街は見どころ満載!
手芸品の卸売問屋や中国寺院、ローカルグルメを堪能しよう!**

新しくなった巨大市場を あちこち探索してまわる

「チョロン」はベトナム語で「大きい市場」の意味。華僑の人々が築いた市場でさまざまな店が並ぶ。ベトナムと中国が混じり合うエキゾチックな雰囲気が魅力だ。服飾や生活雑貨など2000以上の店がひしめくビンタイ市場やオンラン會館など中国系の寺院、そして中華系グルメなど、コンパクトなエリアに見どころが詰まっている。チャイナパワーを楽しみたい。

リニューアルオープンした市場

1 ビンタイ市場

Chợ Bình Tây

MAP 付録P.9 A-4

市内2番目の規模を誇る市場が2016年からの改装工事を経てリオープン。賑わいは当時のまま、連日多くの人々が訪れる。卸問屋なので小売り対応していないお店も多い。

交ドンコイ通りからタクシーで30分 所57A Tháp Mười, Q.6 営7:00〜店によって異なる 休無休

店頭のたくさんのかごバッグが目印

プラカゴ大人買いのお店

2 チー・トゥー

Chị Tư

MAP 付録P.9 A-4

駐在員マダムも一時帰国のおみやげにと大量買いする知る人ぞ知る有名店。カラフルで使い勝手の良いデザインが所狭しと並ぶ。

☎028-3855-1670 交ビンタイから徒歩3分 所21 Lê Quang Sung, Q. 6 営6:00〜18:00 休無休

市場用からおしゃれな籠バックまで豊富な品揃え

漢字とベトナム文字が混在する街。アジアを味わう!

雑貨だけでなく食品類も豊富

場内はカバンをはじめさまざまな商店が所狭しとひしめきあう

歩き疲れたら中国人創始者・郭琰の像がある中庭で休憩

龍のレリーフが美しい中華寺院

3 オン・ラン會館

Hội Quán Ôn Lăng

MAP 付録P.9 C-3

道教の海の守り神、天后聖母をはじめ16の神々が祀られた由緒ある寺院。大通りから少し入ったところに突如現れる鮮やかな色彩の寺院にはひっきりなしに参拝者が訪れる。

☎028-3855-3543 交ビンタイ市場から徒歩16分 所12 Lão Tử, Q.5 開6:15〜17:00 休無休 料無料

↑赤や金がひときわ目立つ立派な正門

↑媽祖(まそ)信仰にちなんだ神々

↓天井から所狭しと吊るされた線香は圧巻

ベトナム最古の中華寺院として有名

4 ティエン・ハウ寺

Chùa Bà Thiên Hậu

MAP 付録P.4 B-4

毎日多くの観光客で賑わう落ち着いた外観の中華寺院。お目当ては火がついている間は神との交信ができるといわれている大きならせん線香。参拝の際は灰がかからないように気をつけて。

☎028-3855-5322 交ビンタイ市場から徒歩17分 所710 Nguyễn Trãi, Q.5 開6:00〜17:30 休無休 料無料

→柵をくぐると大きな正門に迎えられる

散歩のあとは チョロンで評判の ローカルグルメ

中国とベトナムの伝統スイーツ

チェー・ハー・キー

Chè Hà Ký

MAP 付録P.9 C-3

オン・ラン會館からすぐの甘味処。間口の狭い店構えの奥にはゆったりとしたイートインスペースがある。

☎028-3856-7039 交ビンタイ市場から徒歩15分 所138 Châu Văn Liêm, Q.5 営10:00〜22:30 休無休 J E

↑店員おすすめの杏仁豆腐、ベトナム風プリン、チーズ寒天

→店頭のバイク客が目印

チキンライスといえばここ

コム・ガー・ドン・グエン

Cơm Gà Đông Nguyên

MAP 付録P.9 C-3

ホーチミンで食べられる本格海南チキンライスのお店。創業は1945年と古く、遠方から訪れる客も多い。

☎028-3855-7662 交ビンタイ市場から徒歩13分 所801 Nguyễn Trãi, Q.5 営9:00〜20:30 休無休 E E

↑シグニチャーのチキンライスのほか、豚のローストや薬膳スープもおすすめ

→お店の中国語表記は東源鶏飯

絶景クルーズ&感動のショーを体験

ナイトライフの定番!! 夜の2大エンタメを満喫

ディナークルーズでサイゴン川を眺めながら洗練された料理を楽しんだり、アクロバティックなショーを楽しんだり。ホーチミンの夜を彩る2つのお楽しみをご紹介。

ディナークルーズの新定番

サイゴン・プリンセス・クルーズ

Saigon Princess Cruise

4区 MAP 付録P.8 C-4

2017年末より運行開始のフレンチコロニアル船ディナークルーズ。サイゴン川の夕暮れを楽しみながら本格的なコース料理を堪能できる。1ドリンク付きのデイリークルーズプランもあり。オンラインから要予約。

☎088-890-1068 交市民劇場から徒歩18分 所Saigon Port 5 Nguyễn Tất Thành, Q.4 開18:00乗船開始(19:30出航)~21:30 休無休 料コースディナー付き85万~165万VND、1ドリンクプラン30万VND

1.広く開放的なサンデッキは揺れも少なく景色を楽しめる 2.一流シェフによって生み出される珠玉の料理 3.3つのバーではオリジナルカクテルも楽しめる

魚介をアレンジしたフュージョン料理が自慢

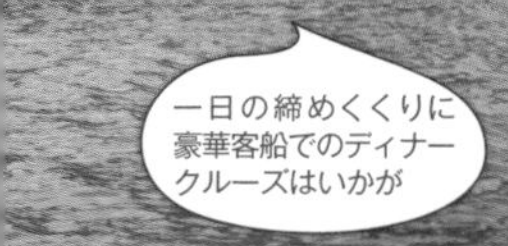

一日の締めくくりに豪華客船でのディナークルーズはいかが

2

3

圧巻のジャグリングパフォーマンスに観客は釘付け

ベトナムでなじみの深い竹とサーカスのダイナミックな融合

ベトナム版シルクドソレイユ

AOショー

AO Show

ドンコイ通り周辺 MAP 付録P.8 B-2

ベトナムの伝統を迫力の生演奏と竹を使ったダンスパフォーマンスで表現する今最もHotなショー。2013年の初演から話題となり、2015年以降は海外公演も実施するほどの人気ぶり。

☎0845-181-188 交聖マリア教会から徒歩7分 所Saigon Opera House,7 Công Trường Lam Sơn,Q.1 開18:00開演 休不定期開催のためHPを要確認 料A席80万VND、O席125万VND ※チケットはHPからのカード決済による購入、あるいは劇場チケットブースにて購入

1.竹は古くからベトナム人の生活に欠かせないものだった 2.伝統と現代音楽が織りなすアクロバティックなショー 3.ベトナムの原風景や心豊かなベトナム人の姿を描く

2

1

3

1

ハイグレードな空間と施術で優雅なひとときを過ごす

ご褒美タイムを約束する極上スパ4店

世界中の最新技術やマッサージ技術が集まるホーチミン。そんなスパ激戦区で確かな施術に定評あるラグジュアリーなスパで過ごすひとときは、旅の醍醐味。

高級ホテルでご褒美スパを堪能

スパ·インターコンチネンタル

Spa InterContinental

ドンコイ通り周辺 MAP 付録P.8 B-1

5ツ星のラグジュアリーな空間で味わう至福の時。アロマオイルを使ったマッサージだけでなく、タイ式マッサージ、スクラブなどもあり。宿泊者以外も利用可能。

☎028-3520-9999 交市民劇場から徒歩8分 所Intercontinental Hotel Asiana Saigon 3F, Corner Hai Ba Trung St. &, Lê Duẩn, Bến Nghé , Q. 1 営10:00～20:00(最終受付18:30)

主なMENU

✲シグネチャー・トリートメント Sensations Orientales …205万VND(税・サ別/80分)～

✲フットマッサージ …55万VND(税・サ別/30分)～

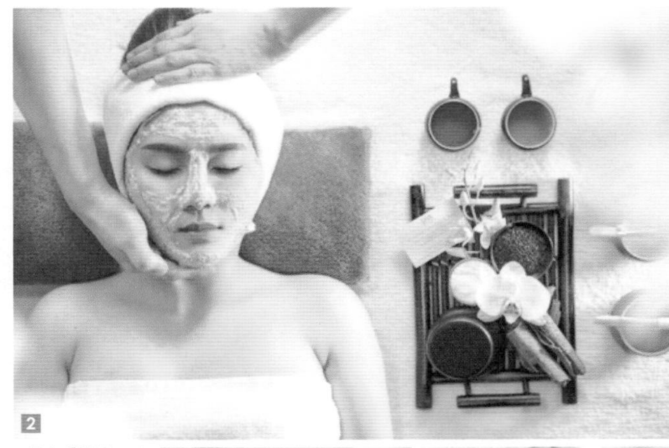

2

1.思わず眠りについてしまう極上マッサージ 2.スクラブメニューで古い角質を取り除く 3.厳選された自然由来のものを使用4.老廃物を流すかっさを使用したメニューも

3

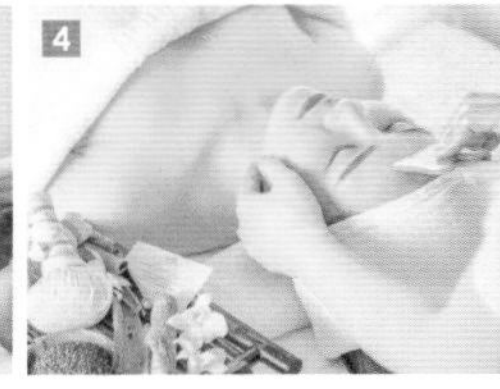

4

のんびりラグジュアリースパ

オ・スパ

Ô Spa

タオディエン MAP 付録P.5 F-1

閑静なエリアにたたずむ高級ブティックホテル内にあるスパ。中心地からは少し離れるが、喧騒を忘れて特別な時間を楽しみたい人におすすめ。部屋数が少ないので要予約。

☎028-6287-4222 交タオ・ディエン・パールから車で11分 所2-4 Đường số 10, Thủ Đức(ミア・サイゴン内) 営10:00～20:00

主なMENU

✲ホットストーンボディテラピー
…**150万VND(90分)**
✲パッケージ"INCREDIBLE JOURNEY"
…**345万VND(180分)**

1.白ベースの落ち着ける施術空間も素敵 2.スパの受付は、ホテルを入った地下にある 3.指圧を重視したメニューが増えているのもうれしい

プチパリ気分を味わえる高級スパ

ラポティケア

L'Apothiquaire

3区 MAP 付録P.6 B-2

百貨店でも販売されているフランス政府認定のオーガニック化粧品「L'Apothiquaire」。その商品を使ったサロン。プール付きのヴィラでプチパリ気分を味わえる。

☎028-3932-5181 交サイゴン駅から徒歩12分 所64A Trương Định Q.3 営9:00～21:00(最終受付19:30)

主なMENU

✲ボディトリートメント"Relaxation"
… **120万VND(税・サ別/75分)～**
✲パッケージ"Ultimate Anti-Ageing"
…**360万VND(税・サ別/150分)～**

1.プチパリを思わせる贅沢な個室 2.1950年に建てられたフレンチヴィラを利用 3.ラポティケアのオリジナル商品も並ぶ

在住者が通うナチュラル系スパ

ザ・スパ・バー

The Spa Bar

タオディエン MAP 付録P.9 B-2

タオディエン内の少し奥まったエリアにあり、緑や水に囲まれたコテージ内での施術が癒やされる。ココナッツなど天然素材を使用したクリームでのマッサージも人気。

☎028-3620-4535 交タオ・ディエン・パールから徒歩14分 所28 Thảo Điền, Thủ Đức 営9:00～20:00

主なMENU

✲シグニチャークリームマッサージ…**69万5000VND(60分)**
✲フットマッサージ
…**38万5000VND(45分)**

1.自然光がほどよく差し込むジャグジーもある 2.友達と同室で施術が受けられる3名用のコテージ

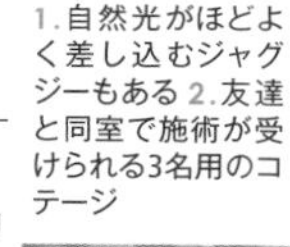

ぬくもりあふれるホスピタリティがうれしい

カジュアルスパ6店で極楽ボディケア

観光やショッピングで思いっきり遊んだあとは、在住者にも定評あるスパへ。滞在中に何度も足を運んでみたい気軽さも魅力。

数々の受賞歴を持つ老舗スパ

アナムQTスパ

Anam QT Spa

ドンコイ通り周辺 MAP 付録P.8 B-1

スパ(ジャグジー、スチームバス)でまずはすっきりしたあとはカフェタイム、天然素材を使ったトリートメントへ。施術はオイル、指圧、タイ式、ストーンがセレクトできる。

☎028-3520-8108 交市民劇場から徒歩7分 所26/1 Lê Thánh Tôn, Bến Nghé, Q.1 営9:30～19:00(月～金曜)、9:00～20:00(土・日曜)最終受付17:00 休無休

主なMENU

✲タイマッサージ…92万VND(75分)～
✲アンチストレスフェイシャル…89万VND(60分)～

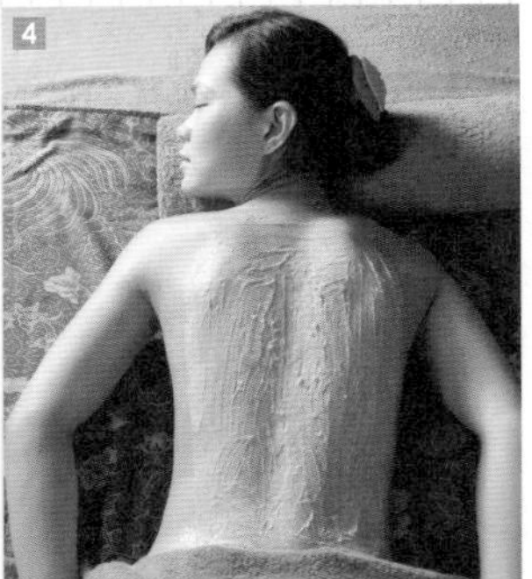

1.人気メニューのストーンマッサージ
2.南国気分が味わえるフラワーバス
3.穏やかな香りに包まれたエントランス
4.ボディスクラブでなめらかな本来の肌に

在住日本人にも人気のスパ

ミウ・ミウ・スパ2

miu miu Spa2

ドンコイ通り周辺 MAP 付録P.8 C-1

日本人街界隈にあり、在住日本人にも人気。日本語ができるスタッフもいるので安心。旅の疲れを癒やすフットマッサージほか、フェイシャルなどもおすすめ。事前予約を。

☎028-6680-2652 交市民劇場から徒歩9分
所2B Chu Mạnh Trinh, Bến Nghé, Q. 1
営9:30〜23:30(最終受付22:00) 休無休

主なMENU

✲背中、首、肩マッサージ…25万VND(30分)〜
✲パッケージ1 フット60分+ボディ60分(指圧)…75万VND(120分)〜

1.ホスピタリティあふれる施術が人気 2.巡りを良くするハーブボールもおすすめ

美術品が並ぶこだわりスパ

スパ・ギャラリー

Spa Gallery

ドンコイ通り周辺 MAP 付録P.8 B-2

観光地郵便局から近く、本格的なストーンマッサージがお手ごろ価格で受けられると人気だ。美術品も展示された落ち着いたサロン。

☎028-6656-9571 交市民劇場から徒歩4分
所15B Thi Sách , Q.1 営10:00〜23:00 (最終受付21:30) 休無休

主なMENU

✲Gallery Special…68万VND(70分)〜
✲Body Massage…42万VND(60分)〜

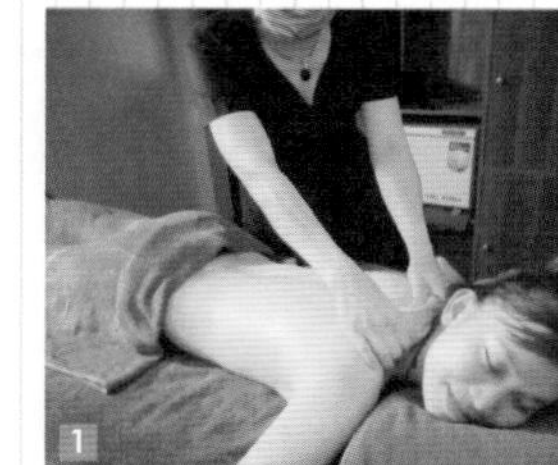

1.アロマオイルを使ったリラックスプラン 2.ギャラリーがあるエントランス

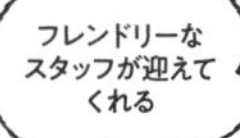

日本人街のリーズナブルスパ

セン・スパ

SEN Spa

ドンコイ通り周辺 MAP 付録P.8 C-1

夫婦、カップルなどでも利用できるVIPルームもあり。南国気分を味わえるメニュー充実。ジャグジーもあり人気だ。

☎028-3910-2174 交市民劇場から徒歩10分 所10B1 Lê Thánh Tôn, Q. 1
営9:00〜21:00(最終受付20:00) 休無休

主なMENU

✲トラベラーズ・リトリート… 132万VND (税・サ別/120分)〜
✲ヘブン…176万VND (税・サ別/180分)〜

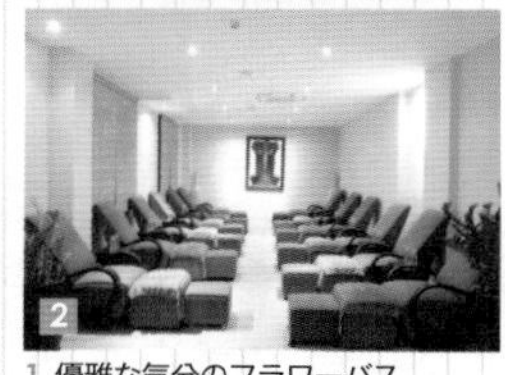

1.優雅な気分のフラワーバス
2.ゆったりとしたマッサージチェア

ローカルエリアにある穴場スパ

マルベリー・スパ&ヘア・スタジオ

Mulberry Spa & Hair Studio

1区北部 MAP 付録P.7 E-1

現地在住欧米人に人気のスパ。通常のマッサージだけでなく、頭皮ケアは特におすすめだ。毛穴に詰まった汚れを取り除き、頭がすっきりし、日頃の疲れも癒やされる。

☎028-3911-6339 交タンディン教会から車で7分
所41/10 Nguyễn Bỉnh Khiêm, Q.1 営9:00〜22:30(最終受付サロン19:00、スパ21:30) 休無休

主なMENU

✲スカルプトリートメント…90万VND(75分)〜
✲パッケージ1…90万VND(120分)〜

1.2時間以上の長時間パッケージが人気 2.落ち着きのあるエントランス

ノスタルジックな古民家風スパ

サー・スパ

Sả Spa

3区 MAP 付録P.7 D-2

西洋風ヴィラが立ち並ぶエリアにあり、リゾート気分が味わえる。植物由来の材料を使ったハーバルトリートメントが人気。

☎028-3521-0670 交タンディン教会から徒歩8分
所40B Phạm Ngọc Thạch, Q.3 営9:00〜21:00 (最終受付20:00) 休無休

主なMENU

✲"SẢ" SIGNATURE…165万VND(210分)〜
✲Massage oil blend…58万VND(60分)〜

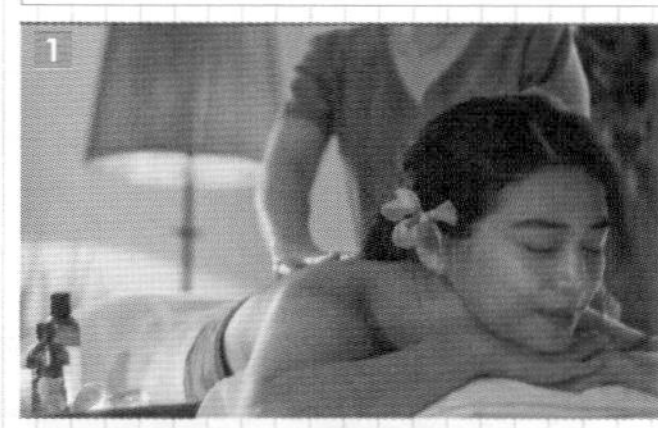

1.使用するオイルはこだわりの自然由来 2.古民家風内装で心も癒やされる

西洋の洗練をまとう名建築で過ごす喜び

極上のコロニアルホテル3軒

旅の充実度はこれで決まるといってもいいほど重要なホテル選び。日常を忘れさせてくれる、華やかなコロニアルホテルをご紹介します。

フレンチコロニアル建築が美しい

マジェスティック・サイゴン

Hotel Majestic Saigon

ドンコイ通り周辺 MAP 付録P.8 C-3

1925年に中国人オーナーによって設立され、ベトナム人経営のホテルとしてはホーチミン最古の5ツ星ホテル。豪華な内装とホスピタリティで宿泊客を虜にする。ドンコイ通りに位置し観光にも便利な立地も魅力的。

☎028-3829-5517 交市民劇場から徒歩6分 所1 Đồng Khởi,Q.1 料Ⓢ US$120～ Ⓣ US$130～ 室数175室 HP majesticsaigon.com/ J E

1.ライトアップされた外観も美しい白亜の洋館 2.サイゴン川を一望できる最上階のバー 3.クラシカルな調度品がロマンティック 4.中世のお城のようなエントランスホール 5.サイゴン川の夕暮れをのんびりと眺めたい

翼を広げたようなつくりのホテル

ホテル・グランド・サイゴン

Hotel Grand Saigon

ドンコイ通り周辺 MAP 付録P.8 C-3

1930年に建てられ、1997年に復元された5ツ星ホテル。中央を入口にして左右に客室が広がる。そのうちのひとつ、ラグジュアリーウィングは2011年にオープンし、機能的で豪華なデザインの客室が自慢。

☎028-3915-5555 交市民劇場から徒歩5分
所8 Đồng Khởi,Q.1 料ⓈUS$110～ Ⓣ US$120～ 室数250室
HP www.hotelgrandsaigon.com/ E

1. 開放的で温かみのあるクラシックな客室
2. 観光スポットへのアクセス抜群の立地
3. 緑に囲まれた中庭にある屋外プール
4. スイート宿泊客向けのスカイラウンジ

長い歴史を刻む老舗ホテル

コンチネンタル・サイゴン

Hotel Continental Saigon

ドンコイ通り周辺 MAP 付録P.8 B-2

1880年創業の由緒あるホテル。長い歴史のなかで多くの著名人が訪れたホテルは聖母マリア教会や中央郵便局、人民委員会庁舎と同時期に建設されたことでも有名。自然光や風を取り込むため客室の天井高は4mもある。

☎028-3829-9201 交市民劇場から徒歩1分
所132-134 Đồng Khởi,Q.1
料Ⓢ US$100～Ⓣ US$105～ 室数86室
HP continentalsaigon.com/ E

1. 市民劇場のすぐ横に位置し観光に便利な立地
2. ドンコイ通りはホーチミンで最古の舗装道路
3. クラシカルな調度品のメインダイニング
4. コロニアル風情たっぷりな客室インテリア

世界が認めたハイエンドなくつろぎ空間

上質を極めたラグジュアリーホテル2軒

数あるホーチミンのホテルのなかで、ひときわ存在感を放つ3軒のラグジュアリーホテル。贅を尽くした空間で、最上のホスピタリティを体感したい。

ホーチミン唯一の6ツ星ホテル

ザ・レヴェリー・サイゴン

The Reverie Saigon

ドンコイ通り周辺 MAP 付録P.8 C-3

全室市内最大級の広さで、息をのむようなサイゴン川と市内のスカイラインが一望できる。イタリアをはじめとするインテリアデザイン・ブランドが手がけた客室、スイートは見事な雰囲気を演出しため息がでるほど豪華。

☎028-3823-6688 交 市民劇場から徒歩4分 所 22-36 Nguyễn Huệ & 57-69F Đồng Khởi,Q.1 料 Ⓢ Ⓣ US$300～ 室数 286室 HP www.thereveriesaigon.com/ Ⓔ

1.ヨーロッパのカフェを模したカフェバー 2.モザイクの柱が印象的なメインダイニング 3.家具の美しさにうっとりするほどの客室 4.空中に浮かぶ幻想的なルーフトッププール 5.オプションのプライベート・クルーズ

レトロ&シックなエレガントホテル

パークハイアット・サイゴン

Park Hyatt Saigon

ドンコイ通り周辺 MAP 付録P.8 B-2

洗練されたデザインの調度品やアメニティへのこだわりを感じさせるフレンチコロニアル調の5ツ星ホテル。立地の良さに加え評判のレストランやスパ、24時間バトラーサービスもありグレードの高い滞在が期待できる。

☎028-3824-1234 交 市民劇場から徒歩1分 所 2 Lam Sơn Square,Q.1 料 Ⓢ Ⓣ US$296～ 室数 245室 HP www.hyatt.com/ja-JP/hotel/vietnam/park-hyatt-saigon/saiph Ⓔ

1.クラシカルな客室は最新の設備で快適
2.白亜のコロニアル建築が目を引く外観
3.世界中のお酒が楽しめる大人の隠れ家的バー
4.トラットリアスタイルのメインダイニング

美しいアーティスティックホテル
ホテル・デザール・サイゴン
Hotel Des Arts Saigon

3区 MAP 付録P.8 A-1

アコーホテルグループのこちらは数々のホテルアワードを受賞した世界トップクラスのラグジュアリーホテルとして世界中から宿泊客が集まる。オフィス街に隣接しビジネスユースにも最適。ルーフトップバーも市内で評判。

☎028-3989-8888 交 市民劇場から徒歩13分 所 76 78 Nguyễn Thị Minh Khai,Q.3 料 Ⓣ US$168～ 室数 168室 HP www.hoteldesartssaigon.com/ Ⓔ

1.オフィス街を見渡すエグゼクティブスイート
2.アフタヌーンティーが楽しめる優雅なカフェ
3.インフィニティプールは市内一の高さ
4.ゴージャスなスパでリラックスタイムを

ホーチミンの今を感じるならココ!!

個性派! デザイナーズホテル 3軒

モダンな家具や内装、街のトレンドを詰め込んだおしゃれなホテルで最先端のホーチミンを発見。

オアシス的ブティックホテル
ザ・ミスト・ドンコイ
The Myst Đồng Khởi

ドンコイ通り周辺 MAP 付録P.8 C-3

2017年にオープンしたスタイリッシュなホテル。アジアンテイストで落ち着いた雰囲気の客室、ベランダに配置されたジャグジーなどどれをとっても宿泊客の心を満たす。

☎028-3520-3040 交 市民劇場から徒歩5分 所 6-8 Hồ Huấn Nghiệp,Q.1 料 Ⓣ US$200～ 室数 108室 HP www.themystdongkhoihotel.com/ Ⓔ

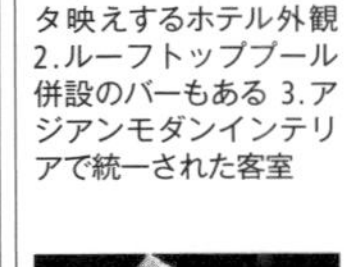

1.緑が生い茂りインスタ映えするホテル外観 2.ルーフトッププール併設のバーもある 3.アジアンモダンインテリアで統一された客室

全室スイートのアーバンリゾート
フュージョン・スイーツ・サイゴン
Fusion Suites Saigon

1区西部 MAP 付録P.6 C-3

ベンタイン市場から徒歩圏内に2016年にオープンしたホテル。宿泊料金にスパサービスが含まれており、観光で疲れた体をリフレッシュできると人気を呼ぶ。

☎028-3925-7257 交 市民劇場から徒歩22分 所 3-5 Sương Nguyệt Anh,Q.1 料 Ⓢ Ⓣ US$112～ 室数 76室 HP saigon.fusion-suites.com/ja/ Ⓔ

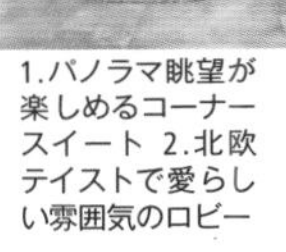

1.パノラマ眺望が楽しめるコーナースイート 2.北欧テイストで愛らしい雰囲気のロビー

白砂のビーチが輝くリゾート
フーコック

Phu Quoc

タイランド湾に浮かぶ緑豊かな島は、白砂のビーチに透明度の高い遠浅の海が魅力だ。急速にリゾート開発が進み、ベトナム最後の楽園といわれる。

MAP 付録P.3 F-3

世界最長のケーブルカー。アントイ～ホントム島間の約8kmを約15分で結ぶ。最も高い支柱は地上174m！

ホーチミンから ✈で 約1時間

© Pavel Szabo / 123RF.COM

街歩きアドバイス

島の生活の中心地、ユーンドンを見て歩こう。ユーンドン川の橋周辺に市場や銀行、郵便局、商店、旅行会社、ダイビングショップが点在。北部には豊かな自然を生かしたエコリゾートとして近年注目のオンラン・ビーチもある。

ホーチミンからのアクセス

フーコック国際空港まで飛行機で約1時間。陸路の場合は、ラックジャーまでバスで約6時間、ラックジャーからスピードボートで約2時間30分。

ホテル数急増中の注目ビーチ

ロング・ビーチ

Long Beach

MAP 付録P.3 F-3

約20km続く白砂のビーチ。ベトナムでは珍しい、海に沈む夕日が望める。歩くと音がする鳴き砂が楽しい。島のシンボルで上部に廟も鎮座する大きなカウ岩がある。

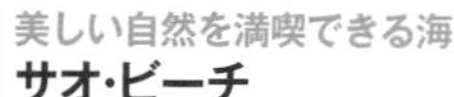

➲南部は開発が進み飲食店やマリンショップも

©Geoff Hopkins / 123RF.COM

© Phuong Nguyen Duy / 123RF.COM

美しい自然を満喫できる海

サオ・ビーチ

Sao Beach

MAP 付録P.3 F-3

フーコックで最も美しいといわれるビーチ。真っ白な砂浜に透明感のある波が打ち寄せる。レストラン併設の海の家や売店などもある。パラソル付きのビーチチェアを借り、楽園でのんびり。

➲ユーンドンからバイタクシーで約30分

CENTRAL VIETNAM
中部
王宮文化が息づく海辺の街

Contents

出発前に知っておきたい

どこに何がある？ どこで何する？

街はこうなっています！ 中部の街と主要スポット

南シナ海に面したビーチリゾートが注目のエリア。世界遺産の美しい街ホイアンやグエン王朝の首都フエ、チャンパ王国の聖地ミーソンなど、歴史スポットも多彩。

標高1500mのサン・ワールド・バーナー・ヒルズに誕生した巨大な手の橋

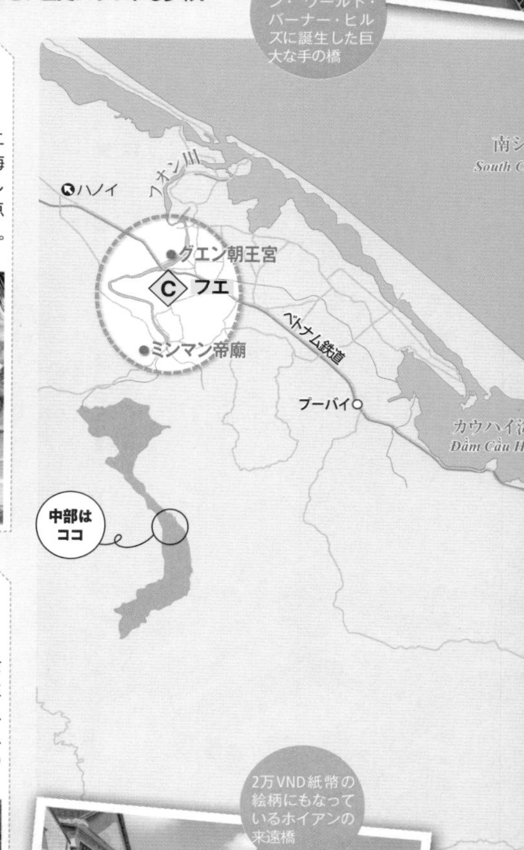

白砂のビーチリゾートと遺跡巡りを楽しむ

A ダナン ▶P.94

Đà Nẵng

中部に広がるビーチリゾートエリアの拠点となる商業都市。海沿いのリゾートホテルで過ごしたり、チャンパ王国の遺跡が点在する世界遺産巡りも楽しめる。日本からの直行便も急増中。

ランタンの灯る世界遺産の街

B ホイアン ▶P.110

Hội An

古くから貿易港として栄えた世界遺産の街。古い木造建築が立ち並ぶ日本人街や中国人街など、180年以上前の街並みが残され、独特の風情がある。ランタンの灯るナイトマーケットも人気。

2万VND紙幣の絵柄にもなっているホイアンの来遠橋

中部ってこんな街

ベトナム中部は、世界遺産や歴史スポットが多く集まるエリア。港町ホイアンには180年以上前の古い街並みが残り、古都フエの街にはグエン王宮の建造物群が点在する。密林に林立するチャンパ王国のミーソン遺跡も神秘的。ビーチリゾートもあるのでゆっくりと滞在を楽しめる。

水上から街並みを眺めるフエのフォン川クルーズも人気

ベトナム戦争をまぬがれた美しいフエの王宮門は必見

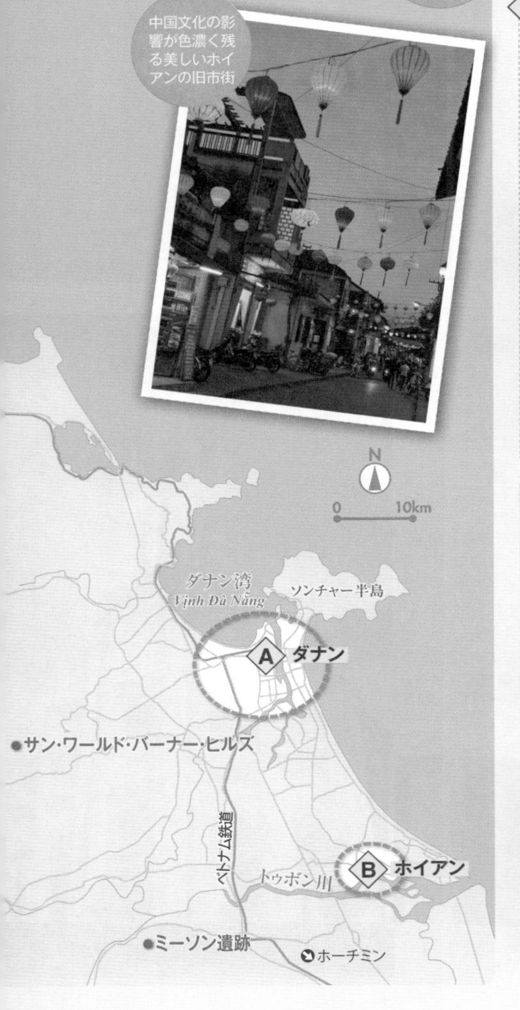

中国文化の影響が色濃く残る美しいホイアンの旧市街

グエン王朝が置かれた旧都

C フエ ▶P.120

Huế

ベトナム最後のグエン王朝が置かれた旧都。王宮や寺院、帝廟など13代続いた王朝の歴史スポットを市内や郊外で数多く見ることができる。フオン川を境に旧市街と新市街に分かれる。

900年の栄華を誇った王国の聖域

ミーソン遺跡 ▶P.99

Thánh địa Mỹ Sơn

2～17世紀にかけ、ベトナム中部から南部一帯で栄えたチャンパ王国の宗教建築。謎に包まれた建造物は、神秘的な魅力に満ちている。

ジャングルにたたずむレンガの遺跡群

変化を続ける
中部観光の
拠点!!

世界から注目を集めるリゾートを散策
ダナン BEST SPOT 3

**かつては王都が置かれ、米軍基地もあった港湾都市。
リゾート開発でビーチも街も魅力的に変化した。
近郊の五行山の神秘的な洞窟や絶景も必見だ。**

白砂のビーチや神秘の山 魅力がたっぷりのダナン

ホーチミン、ハノイに続く第三の都市で、ベトナムを代表する港湾都市でもある。近郊にチャンパ王国の王都が置かれていた時代があり、周辺には今もチャンパ遺跡が残る。近年はビーチ沿いに大型リゾートが続々と誕生し、一帯は日々変化している。日本からも直行便が運行され、ビーチリゾートや街歩き、中部観光の拠点としても注目され、賑わっている。

ハン川の西側は市街地、東側はビーチリゾートエリア

かわいい色合いで絵になる教会

1 ダナン大聖堂

Nhà Thờ Chính Tòa Đà Nẵng

ダナン西部 MAP 付録P.12 C-2

フランス統治時代の1924年創建。ゴシック様式のカトリック教会で尖塔の上に風見鶏がいることから「にわとり教会」と親しまれている。鮮やかなステンドグラスが美しい。ピンク色の建物が観光客にも人気だ。

交 ダナン駅から徒歩25分 所 156 Trần Phú 営 6:00〜17:15 日曜5:30〜18:00 休 無休 料 無料

↑ファンシーな色で目立ち、街歩きの目印にもなる

徒歩時間の目安

1 ダナン大聖堂
徒歩14分
2 チャム彫刻博物館
徒歩4分
3 ロン橋

歩く距離 約1.4km

チャンパ王国の芸術品を展示

2 チャム彫刻博物館

Bảo Tàng Nghệ Thuật Điêu Khắc Chăm

ダナン西部 MAP 付録P.12 C-3

1915年にフランス極東院が創設。チャンパ王国の遺跡から出土した彫刻芸術品や石像を展示。ヒンドゥー教のシヴァ神やガネーシャ神の砂岩彫刻や、繊細な彫刻の祭壇、リンガなどの貴重なチャム芸術は必見だ。

☎0236-3572935 交ダナン大聖堂から徒歩13分 所số 02, đường 2 tháng 9 営7:00～17:00 休無休 料6万VND

←2～17世紀に中部で栄えたチャンパ王国の遺産を展示

←博物館の外観。チケットは正門のチケット売り場で購入

ロンはベトナム語で龍

3 ロン橋

Cầu Rồng

ダナン西部 MAP 付録P.13 D-3

水面を泳ぐ龍の形をした橋はハン川に架かり、中心地とビーチエリアをつなぐ。ダナンのランドマークで全長666m。夜間は鮮やかにライトアップされる。

交ダナン大聖堂から徒歩13分

→週末は21時から10分間、口から火や水を吐くパフォーマンスが見られる

→ドラゴンの目はハート！

食堂も雑貨もある生鮮市場

ハン市場

Chợ Hàn

ダナン西部 MAP 付録P.12 C-2

地元の人々で賑わう市場で街の中心部にある。生鮮食品や乾物、スパイスなどの食料品から、みやげ店や服飾雑貨店まで多彩な商品が揃う。 ▶P.105

←なんでもあり。迷子になりそうな広い市場

聖なる山と仏像の鎮座する洞窟へ

五行山でスピリチュアル体験

陰陽五行の名を冠した五行山にはダナンの聖域が集まっている。洞窟で仏像を、山頂で絶景を拝むスピリチュアルな旅へ出発。

五行山のひとつ、トゥイーソン(水山)からの街の絶景

➡五行山のほかの4つの山も見渡せる

人気のパワースポット スピリチュアルな大理石の山

信仰を集める5つの聖なる山の総称。約200年前、時の皇帝が陰陽五行説にちなみ、それぞれの山を水・木・金・土・火と命名。大理石でできていることから「マーブルマウンテン」とも呼ばれる。観光の中心はトゥイーソン(水山)で、仏像が安置された洞窟内は神秘そのもの。頂上の絶景も別格だ。

五行山

Núi Ngũ Hành Sơn Đà Nẵng

ダナン郊外 MAP 付録P.11 B-2

☎0236-396114 交 ダナン大聖堂からタクシーで20分 所 Huyền Trân Công Chúa 営 7:00～17:00 休 無休 料 4万VND ※エレベーター1万5000VND

展望台

トゥイーソン(水山)の頂上にある。ダナンの街や山が一望できる絶景スポット。

サーロイ塔

山麓から見えるほど高い、中国風六角七層の石造りの塔。塔内には祭壇が置かれ釈迦像が安置されている。

ホア・ギエム洞窟

石造りの門を抜けると、美しい観音像が迎えてくれる。その慈悲深い表情と神秘のパワーを堪能。

リンウン寺

鮮やかな色彩と美しい彫刻の中国寺院。本堂には輝く大きな観音像が鎮座する。地元の参拝客も多い。

フィエンコン洞窟

ホア・ギエム洞窟の奥にあり、ベトナム戦争時の爆撃で開いた天井の穴から陽光が差し込む。岩肌には巨大な仏像が鎮座する。

五行山で最も神秘的な場所であり、おのずと浄化される空間

海を眺めながら至福のリゾート時間

白い砂浜が続く楽園ビーチでのんびり

ビーチチェアでトロピカルドリンク片手にのんびりしたり、サーフィンを楽しんだり、はたまたパラセーリングに挑戦したりと、ダナンのビーチはさまざまな楽しみ方がある。

ダナン最大のロングビーチでリゾート気分を味わおう！

施設をチェック
＊シャワー
＊ライフガード
＊カフェ・売店
＊トイレ

ダナンのメインビーチはここ

ミーケー・ビーチ

Bãi biển Mỹ Khê

ダナン東部 MAP付録P.13 F-3

ダナンで最も活気あふれるビーチ。ビーチ沿いにはカフェが点在し、砂浜にはビーチチェアが並ぶ。遊泳エリアもあれば、サーフィンを楽しむエリアもあり、サーフショップの支店もビーチにある。

交ハン市場からタクシーで15分

ビーチのすぐ隣に高層ホテルも多く、飲食店も多い

ビーチチェアでのんびり過ごせるのがミーケー・ビーチ

まだある！ おすすめのビーチ

市街地から最も近いビーチ

ファンヴァンドン・ビーチ

Bãi tắm Phạm Văn Đồng

ダナン東部 MAP付録P.13 F-2

レストラン、バーや軽食店が並び、パラセーリングなどもある。朝と夕方は現地の人の姿も多い。

交ミーケー・ビーチからタクシーで5分

施設をチェック
＊シャワー
＊ライフガード
＊カフェ・売店
＊トイレ

SNSで人気の映えるテーマパーク

バーナー・ヒルズで遊ぶ

ダナンから20kmの山に造られたテーマパーク。いくつかのギネス記録を持つケーブルカーを登ればまるで中世ヨーロッパのような街並みやゴールデンブリッジが広がる。

ゴールデンブリッジを渡る

別名「神の手が支える橋」という最新スポット。SNS映えスポットとして写真撮影のメッカになっている。

➲ここがベトナムだということを忘れてしまいそうな街並み

ケーブルカーで行く山頂の遊園地

サン・ワールド・バーナー・ヒルズ

Sun World Bà Nà Hills Đà Nẵng

ダナン郊外 MAP 付録P.11 A-2

フレンチ・ヴィレッジやゴールデンブリッジだけでなく、フラワーガーデンや寺院、各種アトラクションを擁する大きなテーマパーク。3本のケーブルカーでアクセスする標高1500mの高原からは雲海を見ることもできる。

☎ 0905766777 交ハン市場から車で40分 所Hòa Ninh, Hòa Vang 営8:00～22:00(最終入場20:00) 休無休 料90万VND E

フレンチ・ヴィレッジを散策

レストランやカフェ、ホテルが揃い、フランスの街がそのまま現れたよう。どこをとっても写真映えする。

➲国際色豊かなキャストによるステージパフォーマンスも必見

夜のイベント盛りだくさん

フレンチ・ヴィレッジ内にあるビュッフェレストランのビアプラザでは、さまざまなイベントが開催される。

➲店内の特設ステージのライブ音楽を聞きながらのビュッフェ

チャンパ王国の聖地で壮大な遺跡群めぐり

ミーソン遺跡で歴史トリップ

およそ900年もの間、ベトナム中部を中心に栄えたチャンパ王国の聖域、ミーソン遺跡。崇拝の対象であった祠堂の数々が今も神々しくたたずむ。

密林の中に70を超える祠堂が自然と融合したように林立する

密林の中に神々しくたたずむ雄大な世界遺産を歩こう

1999年に世界遺産に登録されたミーソン遺跡は、約142haの聖域に70ものヒンドゥー教の祠堂が林立する。現存する遺跡群の多くは7～13世紀に建造されたものといわれる。長い年月による浸食のほか、ベトナム戦争によって破壊された遺跡も多く、現在も発掘と修復が進められている。遺跡群まで遊歩道が整備され、散策路になっている。

ミーソン遺跡

Thánh địa Mỹ Sơn

ダナン郊外 MAP 付録P.3 D-1
☎0235-3731309 交ダナン大聖堂からタクシーで1時間15分 所Duy Phú 営6:00～17:00 休無休 料10万VND

チャンパ王国って？

2～17世紀にかけてベトナム中部から南部の沿岸部で栄えたチャム族が築いた海洋国家。インド文化の影響を受けたヒンドゥー教の施設を多く残したが、19世紀初頭にグエン王朝に滅ぼされた。

見どころはココ

広大な遺跡群は保存状態の良いグループB、C、Dがおすすめ。

グループB

海洋国家であったことを物語るように、舟形の屋根の祠堂が見どころ。壁面には美しいヒンドゥーの女神像や植物のレリーフが残る。

↑舟形屋根の祠堂に並ぶヒンドゥーの女神像や植物の彫刻

グループC

保存状態が良く往時の姿をとどめる主祠堂と楼門が見どころ。男女を象徴するリンガとヨニが置かれ、王が祈りを捧げた神聖な場所。

↑祠堂の中には発掘品や壁面の一部などが展示されている

グループD

2対の箱型の祠堂が立ち、数々の彫刻が見られる。祠堂前には戦争で壊されたり、頭部が盗難で失われたシヴァ神の像などが見られる。

↑迫力のある建造物が多く、撮影スポットとしても人気

宮廷料理を受け継ぐやみつきになる美味を堪能

間違いのない中部料理店3店

↑開放的な店内は席数も多く、家族やグループ利用にも便利

伝統的な家屋で全国の料理に舌鼓

ゴン・ティ・ホア

Ngon Thị Hoa

ダナン東部 MAP 付録P.13 F-4

ダナンやホイアンの名物料理はもちろん、各地の伝統的な料理の幅広いメニューを取り揃える。重厚な調度品を配した店内は、伝統美が感じられる。夜はランタンが灯り優美な雰囲気になり、生演奏(18:30～20:00)もある。

☎096-722-0100 交ミーケ・ビーチから徒歩15分 所100 Lê Quang Đạo 営6:30～22:00 休無休

↑大人数にも対応できる広い店内

↑茹でエビや葉野菜をライスペーパーで巻いた生春巻10万VND

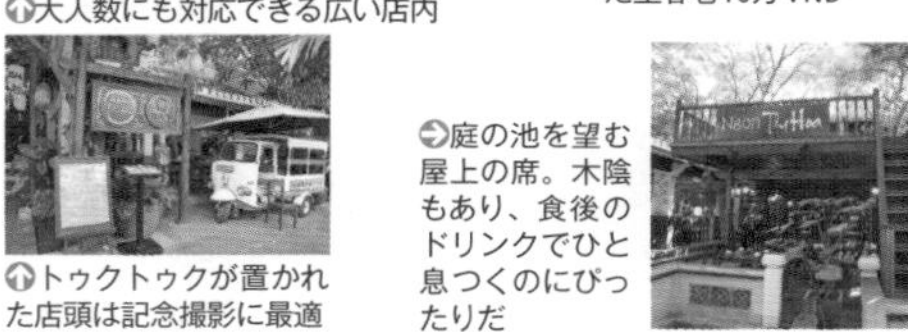
↑トゥクトゥクが置かれた店頭は記念撮影に最適

→庭の池を望む屋上の席。木陰もあり、食後のドリンクでひと息つくのにぴったりだ

1.パリパリの薄皮にモヤシやエビなどが入ったバインセオ10万5000VND 2.ダナン名物料理のミー・クアン。せんべいを割り入れながら食べる7万5000VND

レトロ空間で普段着の家庭料理を

ベップ・ヘン

Bếp Hên

ダナン西部 MAP 付録P.12 C-2

まるで一昔前のベトナムの家に招待されたかのような、家庭的で温もりある店内。モノクロ写真やタイプライターなど、ところどころに飾られたアンティークがレトロ感を演出する。豆腐や野菜などの素朴な食材をふんだんに使った、気取らないベトナム料理が楽しめる。

☎093-533-7705 交ハン市場から徒歩11分 所47 Lê Hồng Phong 営9:00～15:00 17:00～21:00 休無休

→素朴な木のテーブルと椅子が並ぶ店内(左)。庭木に囲まれた店舗は隠れ家のようなたたずまい(右)

1.茹で豚7万9000VND 2.揚げ春巻11万9000VND 3.イエライシャン(夜来香)炒め7万VND 4.煮魚6万5000VND。ご飯の上におかずをのせて食べるのがベトナム流

ヘルシーでやさしい味が人気のベトナム料理。ダナンでは、ぜひともハノイやホーチミンとは異なる、ベトナム中部ならではの料理やシーフードに舌鼓を打ちたい。

1. 港町ダナンの海鮮とマンゴーの香草サラダ21万2000VND
2. 中部料理のバインセオはたくさんの野菜とセット9万VND
3. ベトナム料理の定番、牛肉のフォー7万6000VND～

定番のベトナム料理が食べられる

マダム・ラン

Madame Lân

ダナン西部 MAP 付録P.12 C-1

ベトナム各地の定番料理が揃うレストラン。麺料理だけでもフォー、ブンボーフエ、フーティウなどがあり、この店だけで定番料理は制覇できる。メニューには写真が付き、指さしでのオーダーも可能なのがありがたい。

☎0905697555 交ハン市場から徒歩20分 所4 Bạch Đằng 営6:30～21:30(LO20:30) 休無休 E E

↑バインセオは野菜と一緒にライスペーパーで巻いて特製のタレをつける

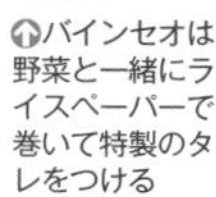

←ココナッツジュース7万6000VNDとフルーツジュース6万2000VND～

↑黄色い壁と緑が遠くからでもよく目立つ
←風が通り抜ける開放的な店内は多くの客で賑わう

人気のビアバー&バーガー店をチェック

ダナンでは各国料理も充実! 観光客に人気のとっておきの2店をご紹介。

シーフードと本格ビールで乾杯

イーストウエスト・ブリュワリング

East West Brewing

ダナン東部 MAP 付録P.13 F-2

国際的な賞の受賞歴もある、クラフトビールのブルワリー。ビーチ沿いの席で、ビールとダナンならではのシーフードメニューを楽しめる。

☎084-692-6799 交ミーケ・ビーチから徒歩1分 所1A Võ Nguyên Giáp 営8:00～24:00 休無休 E E

↑パッションフルーツやライムなど独特のアロマの自社製クラフトビールが並ぶ
→新鮮なエビを使ったスパイシーガーリックシュリンプ28万5000VND

ハンバーガーといったらここ

バーガーブロス

Burger Bro's

ダナン東部 MAP 付録P.13 F-4

2015年のオープン以来各国の観光客から絶大な人気を誇るハンバーガー店。ダナンに2店舗あり、あまりの人気に類似店もあるので注意。

☎0945576240 交ミーケー・ビーチから徒歩5分 所18 An Thượng 4 営11:00～14:00 17:00～21:00 休祝日 E E

↑カジュアルな雰囲気のお店
→ベーコンエッグバーガー12万VNDとクラフトビール9万VND、ポテト3万VND

シーフードや麺料理、カジュアルな中部の味

気軽に楽しみたい ローカルグルメ3店

ダナン在住ベトナム人に愛されるローカル店がこちら。地場の食材を知り尽くしたローカルならではの本場の味を楽しもう。

蒸しエビ
Tom Su Hap
エビそのものの味が楽しめるのが蒸しエビ。写真は500g
42万5000VND

活気あふれるシーフードレストラン

ラン・カー

Làng Cá

ダナン東部 MAP 付録P.13 E-2

ミーケー・ビーチ沿いにある大型シーフード店。ベトナムのシーフード店は生きている食材をその場で調理してもらうのでいつでも新鮮。食材を選び、調理方法を焼く、蒸すなどから選べばOK。迷ったらおすすめを聞こう。

☎098-3311-368 交ミーケー・ビーチから徒歩1分 所262 Võ Nguyên Giáp 営10:00～23:00(LO22:30) 休無休

↑巨大水槽が並び、まるで水族館のよう

↑オープンエアの広い店内。海の見える席もある

カキのネギ油焼き
Hau Nuong Mo Hanh
ネギ油焼き(Mo Hanh)は最もポピュラーな味付け
17万5000VND

ハタの煮付け
Ca Mu Kho
ハタを1匹まるごと煮付けにして特製のタレで仕上げた一品
75万VND

はまぐりのレモングラス蒸し
Ngheu Hap Sa
ピリ辛のレモングラス蒸しはやみつきになる味
17万5000VND/500

ダナンの名物巻き料理に挑戦

チャン

Tran

ダナン西部 MAP 付録P.12 C-3

豚肉を野菜と一緒にライスペーパーで巻いていただく「バインチャンクオンティットヘオ」は野菜がたくさん食べられ、とってもヘルシーなダナン料理。ダナンならではのローカル料理に挑戦してみてほしい。

☎093-546-5222 交ハン市場から徒歩7分 所11 Nguyễn Văn Linh 営7:00～22:00(LO21:00) 休無休

↑ガーデンのようなエントランスがおしゃれ

↑店内は席数も多く、グループでの利用にもおすすめ

バインチャンクオンティットヘオ
Banh Trang Cuon Thit Heo
豚肉をたくさんの香草と一緒にライスペーパーで巻いて食べる
19万9000VND

中部の麺料理ミークアンの老舗

ミー・クアン1A

Mì Quảng 1A

ダナン西部 MAP 付録P.12 C-2

ダナンに昔からある老舗のミークアン店。メニューはミークアンが5種類とカオラウのみ。一緒に提供される野菜や、せんべいのようなライスペーパーを割って一緒に食べる。机の上の調味料で味の変化を楽しむのも良い。

☎0236-3827936 交ハン市場から徒歩13分 所1A Hải Phòng 営6:30～21:00 休無休

↑店名が大きく書かれた外観が目印

↑ローカルな店内だが清潔に保たれている

ミークアン
Mì Quảng
豚肉とエビが入ったものがオーソドックスなミークアン
3万500VND

ひと休みはフォトジェニックなおしゃれ空間で

素敵な時間が流れるこだわりカフェ3店

ベトナムはベトナムコーヒーだけではなく、インテリアもステキでフードもおいしいカフェがたくさんあるカフェ大国。観光の合間に訪れてみよう。

←コーヒー豆の紹介カードとともに、ビーカーで出される演出がおもしろい
→店舗の周りには水辺が配置され、たくさんの鯉が泳ぐ

天井が高く日差しが差し込む店内は居心地がよい

スペシャリティコーヒーカフェ

43ファクトリー・コーヒー・ロースター

43 Factory Coffee Roaster

ダナン東部 MAP 付録P.13 E-4

世界中から厳選した豆を自家焙煎したスペシャリティコーヒーを一杯一杯ハンドドリップでていねいに淹れるこだわりのコーヒーを提供。豆は定期的に変わるがいつ行ってもおいしい。

☎0799343943 交ミーケー・ビーチから徒歩5分 所Lot 422, Ngô Thì Sỹ 営6:30～22:30(LO21:45) 休無休 E E

Good Taste!

↑ポーチドエッグ＆ツナトースト18万VND。ツナを和えたたっぷり野菜と卵が2つのった満足感のある一品

味比べも楽しい多彩なコーヒー

タン・カフェ

Tan. Café

ダナン東部 MAP 付録P.12 C-3

居心地よい店づくりで人気のカフェ。「コーン・コーヒー」など個性豊かな30種近くのコーヒーは、選ぶのに迷ってしまうほど。

☎077-7167-610 交ハン市場から車で5分 所10 Nguyễn Thiện Thuật 営6:30～22:30 休無休 E E

Good Taste!

↑パイナップルやパッションフルーツが入ったヘルシーミックス5万5000VNDと塩コーヒー4万5000VND

→コーヒーのお供に、パン・オ・レザン3万5000VND

壁一面がガラス張りで、日差しが差し込む明るい店内

茶色やオレンジで統一された温かみのあるデザイン

在住欧米人に人気の自然派カフェ

ルーツ・プラント・ベースド・カフェ

Roots Plant-based Café

ダナン東部 MAP 付録P.13 F-4

オーガニック食材を利用したブッダボウルや、オーガニックコーヒー、コールドプレス、コンブチャなど健康志向のベジタリアンメニューが並ぶ。

☎086-552-8252 交ミーケ・ビーチから徒歩1分 所27 Trần Bạch Đằng 営8:00～22:45(LO22:00) 休無休 E E

Good Taste!

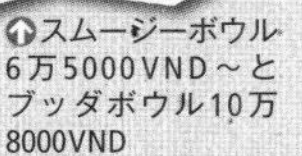

↑スムージーボウル6万5000VND～とブッダボウル10万8000VND

↓ダナンの心地よい風を感じられるテラス席

リゾートならではのおしゃれなセンスをプラス

モダンなベトナムみやげ4店

最近では、おみやげ激戦区ともいわれるチャンフー通りを筆頭にオリジナリティあるみやげ店が増え、選択肢が一気に広がった。

日本人好みのおみやげが揃う

コーマイ

Cỏ May

ダナン西部 MAP 付録P.12 C-2

日本語堪能なベトナム人が経営するみやげ屋。マルゥチョコレートやコーマイブランドのコーヒーが人気で、店内で試飲も可能。食べ物以外にバッチャン焼や刺繍グッズなど雑貨も豊富。

☎0906537667
交ハン市場から徒歩8分 所232 Trần Phú
営8:00〜20:00
休無休 J E カード

マルゥのチョコレート
↑人気のマルゥのチョコレートはダナンでもゲットできる

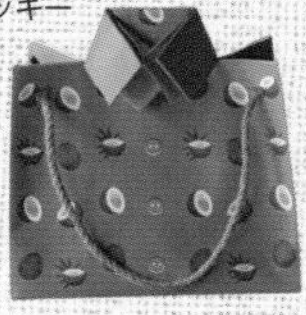

バッチャン焼カップ
←ベトナムらしいカップをおみやげに

刺繍ポーチ
←↑刺繍グッズが種類豊富に揃っており、お気に入りが見つかるはず

ココナッツクッキー
↘紙袋がとってもかわいいココナッツクッキー

ポーチ
←ホップな飼料袋を布の代わりに使用したポーチ5万VNDと6万VND

買って帰りたい雑貨に出会える

ホアリーショップ

Hoa Ly Shop

ダナン東部 MAP 付録P.12 C-2

日本人女性オーナーがチョイスしたおしゃれ雑貨が充実。手刺繍ポーチなどの小物から客家花布エコバッグなどのオリジナル商品まで、自分用にもおみやげ用にも最適な品揃え。

☎0236-356-5068 交ハン市場から徒歩10分
所252 Trần Phú 営10:00〜18:00 休無休
J E カード

ドリップコーヒー
←ベトナム人女性が描かれたパッケージも秀逸で素敵18万VND

陶器
←かわいらしい文様で人気のソンベ焼など陶器も豊富

カラフルな箱がとってもかわいい

フェーヴァ・チョコレート

Pheva Chocolate

ダナン西部 MAP 付録P.12 C-2

ベトナム産カカオとフランスで培われたショコラティエのノウハウを融合した手作りチョコレート店。人気の理由は、18種のフレーバーとカラフルな箱の色の組み合わせを自由にできること。お気に入りのフレーバーを詰め込もう。

☎0236-3566030 交ハン市場から徒歩8分 所239 Trần Phú 営8:00～19:00 休無休 E 💳

↑中央上部のフェーヴァのロゴが目印

↑箱に好きなフレーバーを組み合わせよう(12個入り8万6400VND)

7万5600VND

↑たくさん買ったら必須な保冷バッグ

←箱は色もサイズも豊富で迷ってしまう

↑白を基調とした店内にゆとりのあるディスプレイ

→住宅街にあり、白の外観が目を引く

ダナン発のオーガニックコスメ

タラン

taran.

ダナン西部 MAP 付録P.11 B-2

日本人女性オーナー経営のオーガニック化粧品・雑貨を扱うショップ。ココナッツオイル、フレグランス、カラークリームなどがある。

☎077-756-7685 交ミーケ・ビーチから車で10分 所16 Mỹ An 25, 営10:00～17:00 休無休 J E 💳

36万VND/50mℓ

65万VND/100mℓ

タマヌオイル

↑天然の万能オイルと呼ばれ、やけどの跡や皮膚のかゆみに効果がある

キャンドル

→心地よい香りでリラックス。9種の香りから選べるのも嬉しい

36万VND

市場でおみやげ探し

市場の良いところはなんといっても安さ! 値切り交渉をして安くGETできたときの喜びも大きい。

ローカル感満点の現地市民の台所

コン市場

Chợ Cồn

ダナン西部 MAP 付録P.12 B-2

大きな市場で食品から雑貨まで何でも揃うといっても過言ではない。現地の人向けのお店が多いが、そのなかにおみやげに良さそうな掘り出し物も。

☎0236-3837426 交ハン市場からタクシーで4分 所290 Hùng Vương 営6:00～18:00頃 休無休

↑市内最大級の堂々とした市場

↑食事もでき、味は意外とイケる

←試食のできるお店もある

←日本人の舌にもよく合いおいしい

↓ベトナムらしい木製サンダルも格安

→港町ダナンらしい海産物は量り売りも可能

おみやげが揃う観光市場

ハン市場

Chợ Hàn

ダナン西部 MAP 付録P.12 C-2

1階は雑貨や籠バッグ、食べ物のおみやげが並ぶほか、生鮮食品や釣具などもある。2階に服や靴があり、アオザイや南国らしいワンピースがある。

☎0236-3821363 交ロン橋から徒歩12分 所119 Trần Phú 営6:00～19:00頃 休無休

↑チャンフー通りに面した正面入口

↑店がひしめき合い活気にあふれる

↓→国旗Tシャツや刺繍が美しいアオザイはおみやげの定番

↓普段使いもできそうなかわいいバッグもある

→5個セットのバッチャン焼のコースター

↓ドライフルーツやナッツが並ぶ乾物店

↑インスタントコーヒーはバラマキみやげにも◎

人気上昇中のダナンで上質なステイ体験

海辺の極上リゾートホテル4軒

半島に立つ人気の個性派リゾートホテル

インターコンチネンタル・ダナン・サン・ペニンシュラ・リゾート

InterContinental Danang Sun Peninsula Resort

ダナン郊外 MAP 付録P.11 C-1

ソンチャー半島の斜面に立つラグジュアリーリゾート。ホテルの目の前はビーチ、背面は山といった自然を感じるロケーション。デザイナーのビル・ベンスリーの好みが詰まった建築も見もの。

☎0236-3938888 交 ミーケー・ビーチからタクシーで25分 所 Bai Bac, Son Tra Peninsula 室数 201室 HP www.danang.intercontinental.com/ja J E 💳

ダナンからホイアンまで約30kmにわたるビーチ沿いには、5ツ星リゾートホテルがずらりと並ぶ。お気に入りの一軒を見つけよう。

1.半島に囲まれた完全なプライベートビーチ　2.プール付き500㎡の3ベッドルームヴィラ　3.ビーチを見下ろすシトロンでのアフタヌーンティーが人気 4.大人と子ども用に分かれたガーデンプール　5.170㎡の1ベッドルームペントハウス　6.目の前が海のサンデッキ付き2階建てヴィラ　7.ミシュランシェフによる本格フレンチレストラン

癒やしの滞在で心身ともにデトックス

ティアウエルネス・リゾート

Tia Wellness Resort

ダナン郊外 MAP 付録P.11 B-2

宿泊はプライベートプール付きのヴィラで。プランにはスパでの施術やヨガなどのアクティビティ、栄養に配慮したメニューなどが含まれ心身ともにリフレッシュできる。

☎023-6396-7999 交ミーケ・ビーチから車で13分 所109 Võ Nguyên Giáp 室数87室
HP https://tiawellnessresort.com/ja/
E

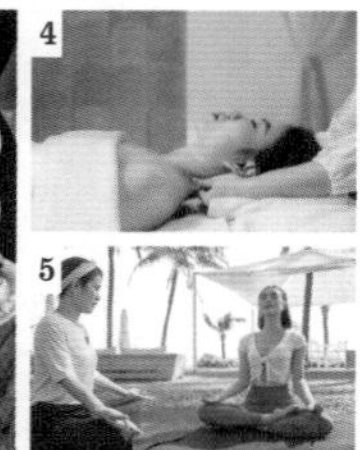

1.大きな窓から陽光と風が入るさわやかな室内　2.ダイニングでは地元食材の料理を提供する　3.料理コンセプトは「軽く食べ明るい気分に」　4.マッサージではオーガニックオイルを使う　5.ヨガや呼吸法、描画まで多彩なアクティビティ　6.個室のほか海を望む大きなプールもある

モダンと伝統が融合したリゾート

ナマン・リトリート

Naman Retreat

ダナン郊外 MAP 付録P.11 B-2

ベトナムの著名建築家がデザインしたリゾートホテル。竹を使った上品なインテリアが魅力。ダナンとホイアンの中間に位置し、どちらの都市にも行きやすい立地だ。

☎0236-3959888 交ミーケー・ビーチから車で15分 所Trường Sa 室数230室 HP namanretreat.com/jp/retreat/

1.プライベートビーチの大きなソファでくつろごう 2.ビーチフロントヴィラからの眺めは抜群 3.レストランは竹を使った建築が見ものだ 4.緑に囲まれた特徴的なスパ

1.ノンヌォックビーチに面したリゾート 2.地中海料理メインのオールデイダイニング 3.家族でも楽しめる大きなプールとビーチバー 4.オーシャンビューの客室

白を基調としたモダンリゾート

ハイアット リージェンシー ダナン リゾート & スパ

Hyatt Regency Danang Resort and Spa

ダナン郊外 MAP 付録P.11 B-2

大きな白砂のビーチを擁する大型リゾート。5つあるプールはサイズも大きく、ファミリーにも使いやすくなっている。併設のスパはプライベート感の高いヴィラタイプが高評価。

☎0236-3981234 交ミーケー・ビーチからタクシーで8分 所5 Trường Sa 室数409室 HP www.hyatt.com/ja-JP/hotel/vietnam/hyatt-regency-danang-resort-and-spa/danhr

趣ある瓦屋根の家屋が並ぶ路地を歩く

ランタンに彩られた美しい港町を散策

ホイアン BEST SPOT 4

旧家が並ぶ、エキゾチックなグエンタイホック通り

チャンパ王国の貿易港や、アジアとヨーロッパを結ぶ国際貿易都市として栄えてきた街。往時の貿易商人たちが築いた家並みが今も残る、世界遺産の街を歩く。

中国やヨーロッパの建物が点在し異国情緒漂う古都

ベトナムのほぼ中央にある港町。運河がめぐり、築200年近い建物が並ぶ。16世紀には日本人貿易商人たちも住んでいたとされ、日本人が架けたという来遠橋も残る。来遠橋を起点にインストリートのグエンタイホック通りやバックダン通りなどを散策。月に一度のランタン祭りも経験したい。エキゾチックな古都で、いにしえの日本人貿易商人の面影を探そう。

観光チケットを入手

主要な名所の見学には専用チケットが必要。旧市街内の12カ所のチケット売り場で5枚綴が12万VND で購入でき、25の名所のうち好きな5カ所に入れる。毎月、旧暦14日のランタン祭で行われるゲームもこのチケットで参加可能。

紙幣にも登場の観光名所

1 来遠橋
Lai Viễn Kiều

MAP 付録P.14 C-3

1593年に、ホイアン在住の日本人が架けたとされる橋。屋根付きで橋の両端は猿と犬の像が守り、中ほどには航海の安全祈願のための小さな寺もある。かつてはこの橋の両側に日本人町と中国人町があったという。

交ホイアンバスターミナルから徒歩20分 所Nguyễn Thị Minh Khai 開24時間 休無休 料チケットで入場

↑18:00～22:00はライトアップで幻想的

年に数回の洪水に耐えた古民家

2 フーン・フンの家
Nhà cổ Phùng Hưng

MAP 付録P.14 B-3

1780年築の貿易商人の家。壁はベトナム、柱や建具は中国、屋根は日本式という木造家屋だ。洪水に備え2階に荷物を上げるための窓が、1階の天井に設けられている。環境を考慮した機能的な家。

交来遠橋から徒歩1分 所4 Nguyễn Thị Minh Khai 開8:00～18:00 休無休 料チケットで入場

↑現在も8代目の子孫がみやげ物店を経営中

←中庭はさながらアウトドアのリビング

往時の優雅な暮らしを伝える家

3 タンキーの家

Nhà Cổ Tấn Ký

MAP 付録P.14 C-3

築200年ほどで、中国、広東省出身の漁師が貿易で成功し建てた。中国と日本に少し西洋が入った建築様式で、中国風の豪華な内装が特徴だ。洪水用の荷物を上げる窓も装備。

交来遠橋から徒歩3分 所101 Nguyễn Thái Học 開8:00～17:30 休なし 料チケットで入場

↑柱や梁、格子などに美しい螺鈿の装飾が施されている

徒歩時間の目安

1 来遠橋
徒歩1分
2 フーン・フンの家
徒歩2分
3 タンキーの家
徒歩5分
4 福建會館

歩く距離 約0.7km

約300年の歴史を誇る華僑集会場

4 福建會館

Hội Quán Phước Kiến

MAP 付録P.15 D-3

福建省出身者のための会館で、華僑の集会場のなかでも最大規模を誇る。同省で信仰されている天后聖母を祀り、奥の中央祭壇には、17世紀のホイアンに最初に移り住んだ6家族の家長の坐像が納められている。

交来遠橋から徒歩7分 所46 Trần Phú 開8:00～17:00 休なし 料チケットで入場

↑華やかな中華風装飾の外観が目を奪う

→内部は原色で飾られ祈願用の線香がくゆる

トゥボン川沿いの新しい市場

ホイアン市場

Chợ Hội An

MAP 付録P.15 E-3

日用雑貨や衣料品、生鮮食品店が並び活気にあふれる。早朝は川沿いの魚市場で魚を船から水揚げする光景が見られる。

カラフルな輝きに染まる街を散策

ランタンが灯る夜の旧市街巡り

エキゾチックな古都をランタンが彩り幻想的な世界が出現する。昼間と夜で異なる顔を見せる、ホイアンの世界を満喫しよう。

ノスタルジックな古都の夜を歩く

日が暮れる頃から街には色とりどりのランタンが灯され、お祭りのような華やいだ雰囲気になる。散策しながらナイトマーケットへ向かおう。屋台が並びお祭り気分は頂点に。旧市街では毎月旧暦14日に街の照明が消されてランタンが灯る「ランタン祭り」も開催される。

ナイトマーケットのランタンショップ。幻想の世界へ

来遠橋から東に延びるメイン通りのひとつ、チャンフー通り

願いを込めて。灯籠流し(US$1ほど)も体験したい

↑トゥボン川岸から眺めるアンホイ橋の輝き

↑重厚な来遠橋もライトアップされて輝く

↓川沿いの旧市街の夜景は、さながら黄金の街

夜はランタンが最も華やかなグエンタイホック通り

アンホイ島のナイトマーケットへ!!

大きな建物が立ち並び、旧市街とは雰囲気が異なるアンホイ島。名物ナイトマーケットの開催地だ。

お祭り気分の一夜を味わい尽くす

グエン・ホアン・ナイト・マーケット

Chợ Đêm Nguyễn Hoàng

MAP 付録P.14 C-3

旧市街から続くランタンの灯りの密集度は、ナイトマーケットのランタンショップで頂点に達する。ここを最終目的地として、グルメや雑貨の屋台を楽しもう。

交 来遠橋から徒歩3分 所 Nguyễn Hoàng
開 17:00～22:30頃 休 無休

➔搾りたてのフルーツジュース

➔ベトナム風の焼き鳥や焼きイカも

↑ランタンやベトナム雑貨、衣料品などの屋台が並ぶ

懐かしくも新しいホイアンの名店へ

味も空間もハイレベルなレストラン&カフェ5店

ホイアン旧市街はベトナム料理店がひしめき合い、激戦区となっている。そのなかでも人気の店舗をご紹介。

1.ホイアンらしく大きなランタンが吊るされている 2.店名にもなっている空芯菜のニンニク炒め8万5000VND 3.ナスとひき肉炒め11万5000VNDは白米とよく合う 4.ホイアン名物のカオラウは必食9万5000VND 5.コムガー9万5000VNDもホイアン名物でおいしい

連日大盛況のベトナム料理店

モーニング・グローリー

Morning Glory

MAP 付録P.14 C-3

世界中の観光客の人気を博している、ホイアンでは老舗のベトナム料理店。ホイアン名物はもちろん、さまざまな種類のベトナム料理がいただける。クッキングクラスも開催しているのでベトナム料理を学ぶのもいいだろう。

☎0235-2241555 交来遠橋から徒歩3分 所106 Nguyễn Thái Học 営11:30〜22:00(LO21:30) 休無休 E E

↑パイナップルジュース(5万9000VND)とイチゴのスムージー(6万5000VND)

1.スイカやイチゴの入った「I'm Glowing!」6万9000VND 2.緑たっぷりの「The Hulk Effect」6万9000VND 3.ヨーグルトと一緒にいただく自家製グラノーラ10万5000VND 4.サンドイッチなどの軽食もとれる 5.ホイアンの街に溶け込むおしゃれな店内

自然派オーガニックカフェ

ココボックス

CocoBox

MAP 付録P.15 D-3

欧米人オーナーが経営するオーガニック志向のカフェ。ベトナムの新鮮な野菜や果物を使ったヘルシーなコールドプレスジュースが人気。サンドイッチなどの軽食もある。オーガニック食品やコスメなどおみやげも販売。

☎0235-3862000 交来遠橋から徒歩5分 所94 Lê Lợi 営7:00〜21:00(LO20:30) 休無休 E E

↑オーガニックブランドSAPOの商品などおみやげも揃う

1.グリーンマンゴー、コールスローがのったチキンライス10万VND 2.濃厚なバナナクリームパイ6万VND 3.生春巻6万5000VNDは見た目も美しい

⇧ベトナムの古民家をイメージした内装

隠れ家でいただく創作ベトナム料理

ヌー・イータリー

Nu Eatery

MAP 付録P.14 B-3

日本橋からほど近い細い路地の奥にあるレストラン。ベトナム料理を独自にアレンジしたフュージョン料理を提供している。品数も少なくメニューもとてもシンプルなのだが、滞在中にリピートするほどのファンも多い。

☎0825190190 交来遠橋から徒歩1分 所10A Nguyễn Thị Minh Khai 営12:00～21:00 休月曜 E E ✆

1.見た目も美しいホワイトローズ9万9000VND 2.特製オリジナルソースでいただく揚げワンタン8万9000VND 3.香草がたっぷり入ったベトナムらしいサラダ12万9000VND

⇧大人数にも対応できる大きな店内

旧市街の中心で落ち着いた食事を

リトルファイフォ

Little Faifo

MAP 付録P.15 D-3

ホイアン旧市街の中にあるベトナム料理店のなかでも落ち着いて食事がとれる。ホイアン伝統建築を生かした店内にはバーも併設。競争の激しいホイアンで長年愛されているだけあって、料理の味も抜群と評判だ。

☎0235-3917444 交来遠橋から徒歩8分 所66 Nguyễn Thái Học 営9:00～22:00(LO21:30) 休無休 E E ✆ 💳

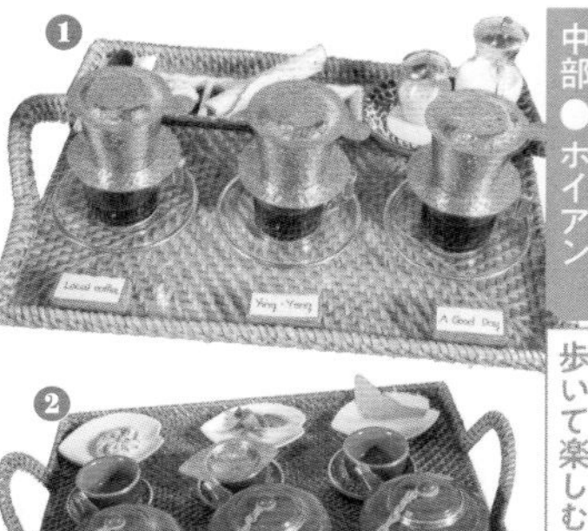

1.ベトナムコーヒーテイスティングセット14万7500VND 2.ティーテイスティングセット14万7500VND 3.店内は静寂が保たれていて心地よい 4.コミュニケーションはこの札を使おう

⇧古民家のような感覚を覚える店内

静寂に包まれた個性派カフェ

リーチングアウト・ティーハウス

Reaching Out Teahouse

MAP 付録P.14 C-3

聴覚障がい者の方たちが働いているため、喧騒のホイアンの中心にありながら、店内は静寂に包まれている。注文などは用意されている札や指さしで行うのがここでのマナーだ。

☎0235-3910168 交来遠橋から徒歩2分 所131 Trần Phú 営8:00～22:00 休無休 E E 💳

手にすると心奪われる逸品が充実!!

おしゃれな個性派ショップ4店

最近では、メイドインベトナムを押し出したおしゃれな雑貨が増え、在住欧米人や感度の高いベトナム人のショップが点在している。

➡メティセコの店内にはインテリア用品のコーナーもある

A アクセサリー
⬅ノンラーやランタンをモチーフにしたシルバーアクセサリー

B イヤリング
⬆大振りタッセルのイヤリングは顔まわりを華やかにしてくれる

⬇茶器やファブリックの商品も揃う

A コーヒー
⬅ハーブティーやベトナム茶の詰め合わせや、コーヒーも人気

B コットンポーチ
⬅柄のバリエーション豊富な100%コットンのふわふわポーチ

B ショルダークラッチバッグ
⬇肩ひもは取り外し可能で、クラッチバッグとしても使える

A ミルクピッチャー コーヒーフィルター グラス
➡ミルクピッチャー&コーヒーフィルターとグラスのセット

B シルクスカーフ
⬆彩り鮮やかなスカーフはさまざまなパターンから選べる

A リーチング・アウト アーツ&クラフツ

Reaching Out Arts and Crafts

MAP 付録P.14 C-3

障害者団体による手工芸品店

ベトナム人障害者の自立支援をする団体が経営する手工芸品店。デザイン、品質ともに良く、ていねいに作られた温かみを感じる商品はおみやげや大切な人へのプレゼントにぴったり。

☎0235-3910168 交来遠橋から徒歩2分 所131 Trần Phú 営8:00～22:00 休無休 E 💳

⬆店内は落ち着いてアットホームな雰囲気

⬇工房も併設しており、見学もできる

B メティセコ

Metiseko

MAP 付録P.14 C-3

フランス人デザイナーのブランド

ランタンや蓮の葉などベトナム伝統の柄もあり、アジアとヨーロッパの文化が融合されたデザインが美しい。シルクやインド製のオーガニックコットンを使った衣類や生活雑貨が並ぶ。

☎0235-3929278 交来遠橋から徒歩2分 所140 Trần Phú、142 Trần Phú 営9:00～21:30 休無休 E 💳

⬆店内にはカフェもあり、休憩もできる

⬆シルクとコットンでショップが分かれる

C ノートA5サイズ
←表紙にかわいらしい手刺繍が施されたノート
30万VND

→カラフルな刺繍糸を見ているだけでも楽しい

C ノートA5サイズ
↑藍染めの表紙にスケッチブック用の紙をセットアップ
45万VND

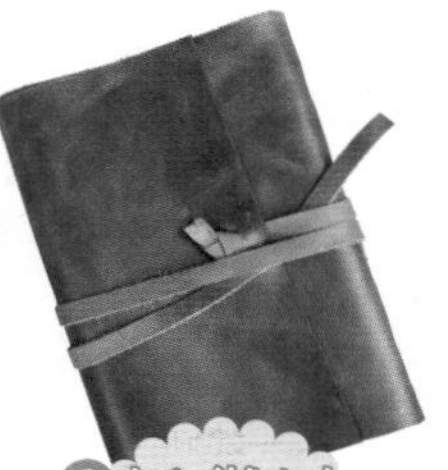

C カバー付きノート
↑高級感のある皮カバー付きのもの。カラーもサイズもいろいろ
40万VND

C コンパクトミラー
←刺繍が施されたケース付きで気軽に持ち歩くのに便利
18万VND

C シュシュ
↓お店の手作りでかわいらしい布が多く選ぶのに悩む
5万VND

C ヘアピン
↑かわいらしい刺繍が施されたヘアピンでほかのデザインもある
各8万VND

↑シンプルなデザインのクッション、枕、ベッドカバーなども取り扱うサンデー・イン・ホイアン

D カップ
→持ち手も大きくたっぷり入る。同じデザインで別色もあり
29万9000VND

D シルクスカーフ
↓ベトナムの貴婦人などが描かれたスカーフで3種類のサイズがある
42万9000VND〜

D 器
→シンプルなデザインだが、パステルカラーでダイニングが映える
各9万5000VND

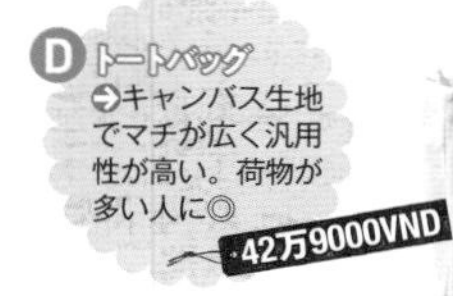

D バッグ
←ショルダー付きで、籐とレザーのコンビネーションが素敵
122万9000VND

D トートバッグ
→キャンバス生地でマチが広く汎用性が高い。荷物が多い人に◎
42万9000VND

C ハンドノートブック
Handmade Notebook
MAP 付録P.15 E-3

温かみのある手作りのノート

布カバーの手作りノートを中心とした、布小物を豊富に取り揃える。ノートは手刺繍入りからポップな柄まで、いずれもほかにはない一点もの。店内ではワークショップも随時開催される。

☎038-530-8183 交来遠橋から徒歩8分 所16 Trần Quý Cáp 営9:00〜21:00 休無休 E 💳

↑文具屋のように積み上がったノートが目印

↑布製品を手作りする様子も見られる

D サンデー・イン・ホイアン
Sunday in Hoi An
MAP 付録P.14 C-3

ハイセンスな雑貨が揃うみやげ店

ホイアンに2店舗あり、白を基調とした店内にパステルカラーの食器や温かみのある雑貨が並ぶ。バッグやアクセサリーなど、ベトナム各地からセレクトした商品が揃う。

☎0797-676-592 交来遠橋から徒歩1分 所184 Tran Phu 営9:30〜21:30 休無休 E 💳

↑内装やディスプレイがおしゃれでかわいい

↓来遠橋からすぐそばのわかりやすい立地

優雅な客室でバカンス気分を満喫
洗練リゾートホテル3軒

世界遺産の街ホイアンにある数多くのホテルのなかから厳選した3つのリゾートホテルを紹介。各ホテルそれぞれの楽しみ方ができる。

ホイアン随一のリゾートホテル
フォーシーズンズ・リゾート・ザ・ナムハイ
Four Seasons Resort The Nam Hai, Hoi An

MAP 付録P.11 C-3

ベトナム初のフォーシーズンズブランドのホテル。プライベートビーチやプール、スパ、レストランなど、どこをとっても素晴らしい。忘れられない滞在になること間違いなしだろう。

☎0235-3940000 交ホイアン旧市街から車で15分 所Block Ha My Dong B, Điện Bàn 室数100室 HP www.fourseasons.com/jp/hoian/ E

1.ヴィラからはベッドからもソファからも海を望める　2.幅広のプライベートビーチではアクティビティも開催　3.カフェナムハイでは朝食のほかに各国料理を提供　4.海につながるインフィニティプール　5.広々としたスパルームはジャクジー付き

静寂のコロニアルリゾート

アナンタラ·ホイアン·リゾート

Anantara Hoi An Resort

MAP 付録P.11 C-3

ホイアンを流れるトゥボン川沿いに静かにたたずむ5ツ星ブティックホテル。フレンチ・コロニアル様式の館内のレストランやスパもハイレベル。非日常を満喫できるだろう。

☎0235-3914555 交ホイアン旧市街から車で5分 所1 Phạm Hồng Thái 室数92室 HP www.anantara.com/ja/hoi-an E

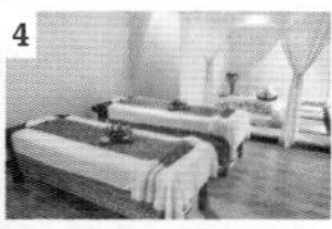

1.穏やかな川の流れが感じられる客室 2.リバーサイドで忘れられないひとときを 3.緑に囲まれたプールもコロニアルな雰囲気 4.スパで日常の疲れをリフレッシュ 5.ジムのほかにもヨガなどのアクティビティも開催

ホイアン旧市街から徒歩圏内

アレグロ·ホイアン

Allegro Hoi An

MAP 付録P.14 B-2

ホイアン旧市街からすぐのところにあるホテル。木を用いた落ち着いた色合いの客室はバスタブを備える。プールやスパなどの設備も揃っており、アクティブに観光したい方におすすめ。

☎0235-3529999 交来遠橋から徒歩7分 所Lo2 Tran Hung Dao 室数93室 HP www.littlehoiangroup.com/allegro-hoi-an E

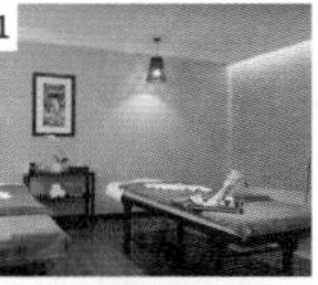

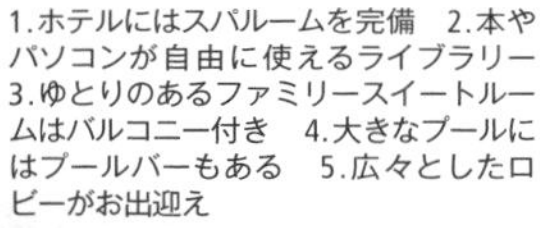

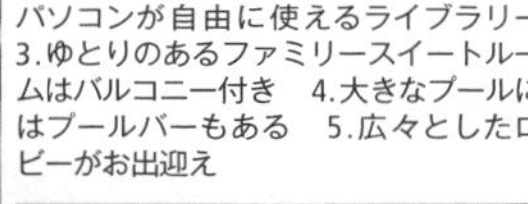

1.ホテルにはスパルームを完備 2.本やパソコンが自由に使えるライブラリー 3.ゆとりのあるファミリースイートルームはバルコニー付き 4.大きなプールにはプールバーもある 5.広々としたロビーがお出迎え

午門 Ngọ Môn

城壁の東西南北にある4つの門のうち、中央の南に位置する正門。正午に太陽が真上に来る南門を正門とする中国の習慣にならったもの。楼閣にも登れる。

中国と西洋が融合した宮廷文化にふれる!!

フオン川沿いに栄えた王朝の跡を旅する

フエ BEST SPOT 5

ベトナム中部にあるグエン王朝の歴史と文化が息づく美しい街。中国やフランスの影響を受けた王朝時代の建造物群が残り、街歩きや宮廷グルメなども楽しめる。

多様な文化が生み出した華やかな王朝の面影が残る

ベトナム最後の王朝・グエン王朝の王都として栄えたフエ。街は王朝時代の街並みが残る旧市街と、ホテルやショップが集まる新市街とに分かれる。フオン川沿いに建つ王宮跡や歴代皇帝の帝陵、寺院などの史跡めぐりが見どころ。旧市街にあるエネルギッシュなドンバ市場の見学や、宮廷料理から生まれた名物の麺料理・ブンボーフエも味わいたい。

ベトナムの歴史を物語る王宮跡

1 グエン朝王宮

Đại Nội

MAP 付録P.10 B-2

1802～1945年まで13代にわたって続いたグエン朝の王宮跡。ユネスコの無形文化遺産に登録され、午門や太和殿、フラッグタワーなどの見どころが点在。ベトナム戦争で大きな損傷を受けたが、近年修復が進み、多くの施設が往時の姿を見せる。

☎0234-3523237 交新市街から車で5分
所Phu Hau Thành phố Huế
開夏季6:30～18:00,冬季7:00～17:30
休無休 料20万VND(フエ宮廷骨董博物館と共通)

太和殿 Thái Hoà Điện

1805年にザーロン帝が中国の紫禁城をモデルに建築し、1970年に再建された。皇帝の即位式や朝儀などが行われた場所で、宮殿内には玉座が置かれている。

王宮の北側のティープフォン庭園は注目の新スポット

右廡・左廡 Hữu Vu / Tả Vu

右廡(うぶ)は武官、左廡(さぶ)は文官が使った詰所。右廡には王宮の品々が展示され、左廡では皇帝の衣装で記念撮影ができる。

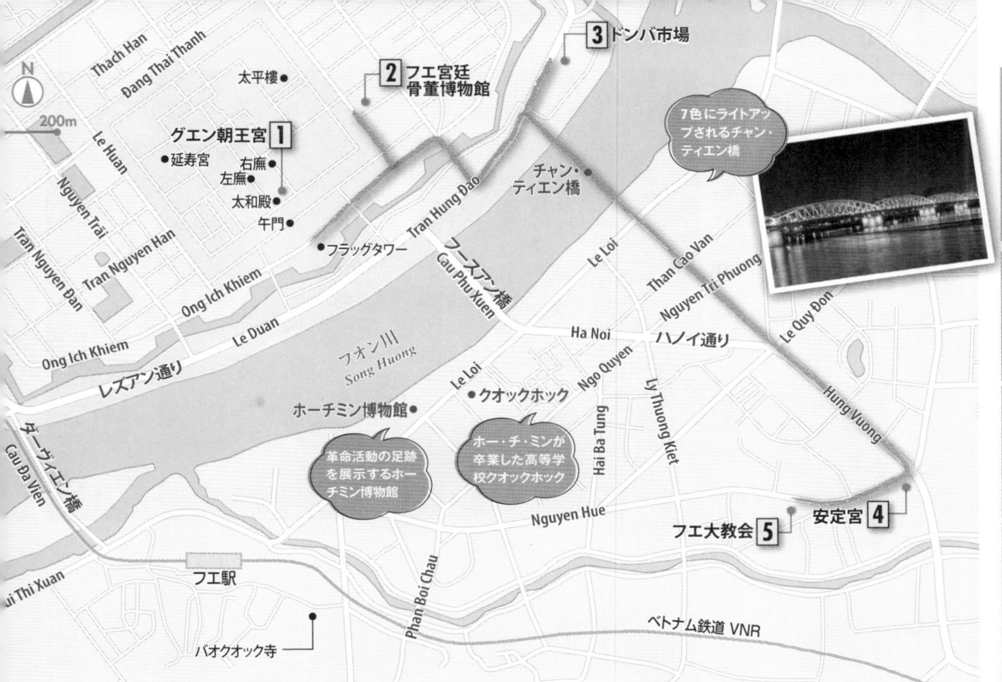

フラッグタワー Cột cờ

王宮門の外に立つ国旗掲揚台。塔の上部までは29.52mあり、新市街からも見える。度重なる戦争で何度も崩壊し、台座には今も弾痕が残る。

閲是堂 Duyệt Thị Đường

ミンマン帝が1826年に建設したベトナム最古の劇場。皇族や外国大使らが宮廷舞踊などを鑑賞した。現在も1日2回王宮舞踊の公演を楽しめる。

太平楼 Thái Bình Lâu

3代ティエウチー帝が1844年に詩作や読書をするために建てた書斎の役割の建物。中国風の建築に、2階の窓にフランス風の窓、西洋風の角柱などを取り入れた折衷建築が見どころ。

紫禁城 Tử Cấm Thành

周囲1km、高さ3mの城壁内の宮殿地域。かつては皇帝が政務を行った勤政殿や寝所であった乾成殿などもあったが、フランスとの戦いで失われ、現在は回廊のみが残されている。

徒歩時間の目安

1 グエン朝王宮
徒歩9分
2 フエ宮廷骨董博物館
徒歩12分
3 ドンバ市場
徒歩30分
4 安定宮
徒歩5分
5 フエ大教会

歩く距離 約4.8km

グエン朝って？

1802年にベトナム統一を果たした最後の王朝。ザーロン(嘉隆)帝が初代皇帝となり、フエに首都を置いた。フランスの援助で王朝を築いたが、2代ミンマン帝の時代に西洋文化を排除したことからフランスの植民地時代を招いた。1945年に13代バオダイ帝で王朝に幕を下ろした。

グエン朝の貴重な遺物を展示
2 フエ宮廷骨董博物館
Bảo tàng Cổ vật Cung đình

MAP 付録P.10 B-2

カイディン帝時代の1923年に建てられたベトナム最古の博物館。グエン朝時代に王宮内で使用されていた玉座、衣装、食器などの日用品、ご進物・貢物などのコレクションが見られる。

☎0234-3524429 交グエン朝王宮から徒歩2分 所3 Lê Trực 開7:00～17:00 休無休 料20万VND(グエン朝王宮と共通)

↑王宮からほど近く立ち寄りやすい。グエン朝の文化や暮らしぶりにふれよう

→グエン王朝時代に使用された大砲が並ぶ

フエでいちばんの規模を誇る市場
3 ドンバ市場
Chợ Đông Ba

MAP 付録P.10 C-2

旧市街にあるフエの庶民の暮らしを支える市場。１階には食料品、雑貨類、屋台などがあり、２階は衣料品が中心。各店舗に商品が山積みにされた市場は迷路のような雰囲気。

☎0234-3523991 交グエン朝王宮から徒歩10分 所2 Trần Hưng Đạo 開7:00～19:00 休無休

→カラフルな刺繍がかわいいノンラー(菅笠)が並ぶ

←バッグや小物もとにかくカラフルなのがベトナム

フランス風建築が美しい
4 安定宮
Cung An Định

MAP 付録P.10 C-3

1917年にカイディン帝の離宮として建てられた宮殿。バオダイ帝が即位するまでは住居として使用されていた。西洋文化に傾倒していた皇帝の趣味が随所に見られる。

☎0234-3825780
交グエン朝王宮から車で10分
所179 Phan Đình Phùng
開7:00～17:00
休無休 料5万VND

↑敷地の奥に建つきらびやかな西洋式城館の啓祥楼

個性豊かな建築が目を引く
5 フエ大教会
Nhà thờ dòng Chúa cứu thế Huế

MAP 付録P.10 C-3

1959～62年の間にアメリカの援助によって建設。ヨーロッパとベトナムの伝統的な建築様式が融合した独特な建物がひときわ目を引く。ブルーを基調とした内部には神聖な雰囲気が漂う。ミサ以外の時間は見学可能。

☎0234-3834522 交グエン朝王宮から車で7分 所142 Nguyễn Huệ 開11:00～14:30 休無休 料無料

→仏教寺院の仏塔を彷彿とさせる尖塔を持つ建築が印象的

周辺スポット フォン川流域でグエン朝の遺跡めぐり

フオン川沿いに点在する歴代皇帝の帝廟。広範囲にまたがるため、ツアー利用がおすすめだ。

細部までこだわった独特の建築

カイディン帝廟

Lăng Khải Định

フエ周辺 MAP 付録P.10 A-4

建設に11年をかけた12代皇帝の壮大な廟。西洋好みの皇帝の趣味を反映したバロック様式とベトナムの伝統的意匠が融合した派手さは、ほかの廟と一線を画す。金箔とモザイクを多用した内装もいちだんと豪華。

↑ヨーロッパの宮殿のような豪華な装飾

←金箔とモザイクで装飾された皇帝の像

八角七層の塔はフエのシンボル

ティエンムー寺院

Chùa Thiên Mụ

フエ周辺 MAP 付録P.10 A-4

1601年に創建。ベトナム戦争当時、南ベトナム政府に抗議した住職が焼身自殺をしたことでも知られる。寺の中心に建つダイフン寺には、ザーロン帝を助けたポルトガル人によって造られた青銅の仏像が祀られる。

↑「幸福と天の恵み」を意味する慈仁塔

←ベトナムでいちばん大きい六角大鐘

4代皇帝の贅沢で瀟洒な廟

トゥドゥック帝廟

Tự Đức Tomb

フエ周辺 MAP 付録P.10 A-4

在位最長の4代皇帝が生前に別荘として使用していた場所。広々とした敷地にはしっとりと穏やかな空気が満ちている。大きな蓮池には釣りや涼を楽しんだあずま屋や、詩などを詠んで過ごした楼閣などが並ぶ。

↑復活や再生を意味する三日月の池

←絵画的な蓮池にたたずむあずま屋(沖謙榭)

フエ随一の美しさを誇る優雅な廟

ミンマン帝廟

Minh Mang Tomb

フエ周辺 MAP 付録P.10 A-4

グエン朝の隆盛を極めた2代ミンマン帝が自ら設計したとされる廟。中国文化を好んだことで知られ、建物が一直線に並ぶ威厳をたたえた中国風の構成が特徴的。装飾など随所に細かな中国文化が反映されている。

↑庭園と建物の調和がひときわ美しい

←紫禁城を模した赤と金色の装飾

おすすめツアー

●フエ市内1日観光ツアー

所要時間 約6時間30分 料 US$89～

① ホテルまでピックアップ

宿泊ホテルからフエまで移動。ダナン、ホイアン、フエと宿泊地により、ピックアップ時間が異なる。

② 郊外の帝廟を見学

カイディン帝の墓所だったカイディン帝廟、トゥドゥック帝の別荘だったトゥドゥック帝廟を見学。

③ ランチのあとにグエン朝王宮を見学

フエ名物ブン・ボー・フエなどコースのランチを堪能してから、街のシンボルであるグエン朝王宮を見学。

④ フオン川のクルーズを体験

フエ最古の寺院といわれるティエンムー寺院に立ち寄ってからフオン川のクルーズを体験し、ホテルへ戻る。

ツアー催行会社 TNKトラベル(ダナン支店)
DATA➡P.29

フエで楽しみたい古都の伝統を守る名店の味

宮廷の美味&郷土の名物3店

1945年まで王朝が続いたフエは米粉の料理や宮廷料理など独自の食文化が発達。ベトナムでも特徴的なフエ料理にぜひ挑戦したい。

ロイヤルセットメニュー
Royal Set Menu
前菜からデザートまで全11品目の宮廷料理のコース
110万VND+税

フエ宮廷料理を今に伝える

アンシエント・フエ・ガーデン・ハウス

Ancient Hue Garden Houses
MAP 付録P.10 A-3

フエ近郊のブティックホテルに併設されたレストラン。本格的な宮廷料理のコース料理を木造の重厚な雰囲気の店内でいただき、皇帝の衣装で記念撮影をすれば旧王朝を訪れた気分に。

☎0342-640456 交グエン朝王宮から車で10分 所47 Kiệt 104 Kim Long 営7:00〜22:00 (LO21:30) 休なし

➡格式高い木造建築。木に施された貝の装飾や彫刻も美しい

揚げ春巻・バインウット 各6万VND
Nem Ran,Banh Uot
しっとりしたライスペーパーで豚肉を包んだバインウットと揚げ春巻

バインコアイ 4万5000VND
Banh Khoai
ベトナム中部名物バインセオもフエではスタイルが異なる

フエ名物ブンボーフエ発祥の店

ブン・ボー・フエ・バー・スアン

Bún bò Huế Bá Xuan
MAP 付録P.10 C-3

ブンボーフエ発祥の店といわれている、その名もブン・ボー・フエ。レモングラスとチリで味付けをしたスープがコクがあり、おいしいといつも大人気。隣に偽店があるので注意しよう。

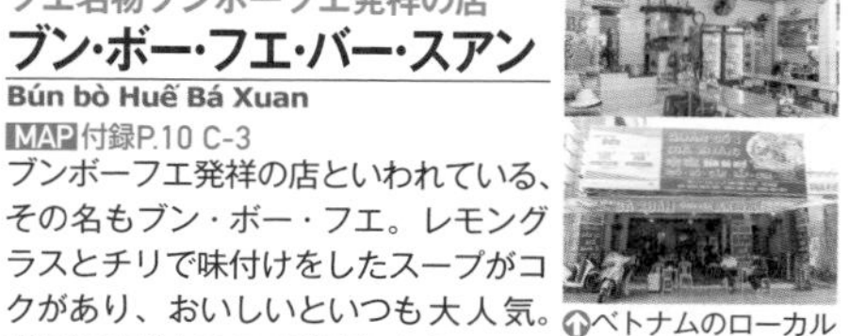

⬆ベトナムのローカル食堂という店構えだ

☎0762-615097 交グエン朝王宮から車で10分 所19 Lý Thường Kiệt 営5:00〜19:00 休無休

⬆ココナッツゼリー(8000VND)もおいしい

ブンボーフエ全部のせ 5万5000VND
Bun Bo Hue Dac Biet
付け合わせの香草をたっぷり入れていただくのがベトナム式

フエ名物をまとめて楽しめる

マダム・トゥ・レストラン

Madam Thu Restaurant
MAP 付録P.10 C-2

種類もさまざまでそれぞれ専門店もあるフエ名物がまとめて楽しめる。バインベオ、透明なバインロック、バインウットなどすべて米粉を使っているがそれぞれ味も違う。

☎090-5126661 交グエン朝王宮から車で10分 所45 Võ Thị Sáu 営9:30〜23:00(LO22:00) 休無休

⬆フエ名物9種セット。1人前で19万VND

⬇フエの繁華街に位置しており気軽に入れる

HA NOI
ハノイ
水と緑に包まれた「千年の都」

Contents

出発前に知っておきたい

どこに何がある？ どこで何する？

街はこうなっています！ ハノイのエリアと主要スポット

ベトナムの首都であり、ホーチミンに次ぐ第2の都市ハノイ。世界遺産の城跡や、11世紀に築かれた旧市街が今も息づく、歴史と文化あふれる街を散策しよう。

オペラ座をモチーフにデザインした5ツ星ホテル、カペラ・ハノイ

おしゃれなショップが並ぶハノイの中心地

A ハノイ大教会周辺 ▶P.146

Nhà Thờ Lớn

メインエリアはココ!!

ホアンキエム湖の西側に建つハノイ大教会周辺は市の中心地。メインストリートのチャンティエン通りやニャートゥー通りにはセンスの良いカフェや雑貨店、みやげ物ショップが立ち並ぶ。

ショップや工房が軒を連ねる昔ながらの職人街

B 旧市街周辺 ▶P.148

Phố cổ

ホアンキエム湖の北側に広がる旧城下町。宮廷への貢ぎ物を作る職人街で、通りごとに同業の店舗や工房が軒を連ねる。ホテルや旅行代理店も多く、旅行者で賑わうエリアでもある。

ハノイってこんな街

周囲約2kmのホアンキエム湖を中心に、東西南北にメインストリート、職人街の旧市街、週末のナイトマーケットが楽しいドンスアン市場などが広がる。旧市街の中は徒歩でまわることができる。中心地からさらに北へ行くとハノイ一の美しさを誇るタイ湖があり、グルメも楽しめる。

緑あふれるアカデミックな散策エリア

C 文廟周辺

Văn Miếu

ベトナム初の大学跡であり、孔子など勉学の神様を祀る文廟。周辺には現在も大学が集まりアカデミックで落ち着いた雰囲気が漂う。ブティックや隠れ家的なカフェなどをまわるのも楽しい。

夕日の名所で知られるハノイで最も美しい湖

D タイ湖周辺 ▶P.150

Hồ Tây

ハノイ中心部の北西に広がる周囲約17kmの広大な湖。湖畔に眺めの良い高級ホテルも点在する。タニシ料理やエビの天ぷらなど名物も味わえるほか、湖岸に立つ西湖府や寺院も見どころ。

N
0 500m
ホン川
イホー区
クバック湖
ベトナム鉄道 VNR
ロンビエン駅
タンロン遺跡
B 旧市街周辺
ホアンキエム湖
大教会
ホアンキエム区
A 大教会周辺
ティエンクアン湖
ベトナム鉄道 VNR
バイマウ湖

ハノイの中心に広がる市民の憩いの場

ホアンキエム湖

Hồ Hoàn Kiếm

大教会、メインストリート、旧市街に取り囲まれたハノイの中心地に広がる、周囲約2kmの湖。亀の伝説が残る塔や祠も見どころ。

湖を取り囲む散策路も歩いてみたい

TRAVEL PLAN HA NOI

至福のハノイ モデルプラン

かつてはハノイ城が置かれ、都として栄えた歴史を持つハノイ。ホアンキエム湖北側には旧市街と呼ばれる職人街が広がり、昔ながらの風景を残す。近年はハイソな雰囲気のタイ湖周辺も注目を集めている。

ハノイ最大規模のドンスアン市場でショッピング

プランの組み立て方

❖ 観光スポットが市内に点在。タクシーも活用しよう
グルメやショッピングなら旧市街を歩くだけでも楽しいが、観光スポットや史跡を巡る場合はそれぞれ離れているので徒歩では難しい。タクシーをうまく使いつつ、効率的にまわりたい。

❖ ハノイは買い物が楽しい
ハノイは街なかでかわいい雑貨に出会える、雑貨好きにはたまらない街。職人街として発展してきた旧市街では、温かみのある日用品や生活雑貨が手に入る。最近はモダンなアイテムを揃えるおしゃれなセレクトショップも増加中。

❖ リゾートを満喫したいならタイ湖周辺のホテルへ
人が多く賑やかな旧市街とは対照的に、タイ湖周辺はゆったりとした時間が流れ、リゾート感を満喫できる。湖のほとりにはラグジュアリーなホテルも多い。

❖ プチ・パリな雰囲気を満喫
街のあちこちでフランス式の建物と出会えるハノイはまるで小さなパリ。コロニアル建築を改装したレストランはぜひ行ってみたい。

PLAN 1

観光の中心である旧市街や市場を散策。午後は歴史的なスポットへ

ランチにはハノイ名物のブン・チャーをどうぞ

9:00 素朴な日用品を探しに旧市街を歩く ▶P.148

徒歩5分

かつて宮廷への貢ぎ物を作るための職人街であった旧市街。レトロな風合いの食器やカゴなど、普段使いしたい日用品も手に入る。

路地が入り組む迷路のような旧市街。通りごとに同じものを扱う店が集まる

13:00 ドンスアン市場でおみやげ探し ▶P.145

車で10分

旧市街の北端に位置するドンスアン市場はプチプラアイテムの宝庫。多めに買うと負けてくれることも。

ベトナムコーヒーが楽しめるカップもおすすめ

15:00 文廟で学業成就を願う ▶P.152

車で15分

多くの学者や政治家を輩出したベトナム最古の大学跡で、合格祈願に訪れる人も多い。

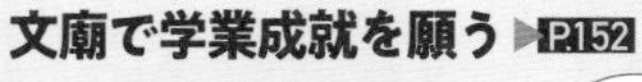

周辺には蓮茶をいただけるレトロなカフェも

18:00 ベトナムの伝統芸能、水上人形劇を鑑賞 ▶P.153

伝統楽器の音色に合わせて人形が動く水上劇。躍動感あふれる動きに注目!

PLAN 2

ランドマークの大教会と湖を見たあと、タイ湖周辺の最新スポットを巡る

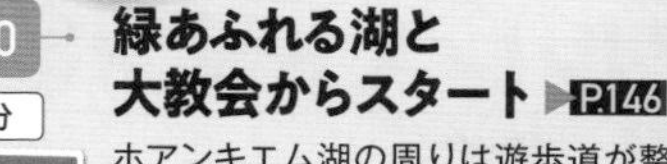

9:00 緑あふれる湖と大教会からスタート ▶P.146

徒歩7分

ホアンキエム湖の周りは遊歩道が整備され、朝の散歩を楽しめる。街の中心にそびえる大教会にも挨拶を。

石造りの重厚感あふれる大教会。ステンドグランスも必見

ホアンキエム湖の中心、玉山祠でひと休み

12:00 ランチは郷土料理のチャーカーを ▶P.134

車で15分

カーランとハーブを鍋でいただく名物料理、チャーカーは必食。

←香ばしいカーランが食欲をそそる

14:00 タイ湖のほとりで旬のお店をチェック ▶P.150

車で5分

高級ホテルやおしゃれなショップが点在するタイ湖の東岸は今注目のエリア。伝統工芸品や民族雑貨を扱うモダンな店が増えている。

伝統工芸を取り入れたアイテムが豊富

アドバイス

タイ湖周辺のスポットは広範囲にわたるので、徒歩とタクシーを組み合わせて効率よく移動しよう。

18:00 コロニアルレストランで優雅にディナー ▶P.130

とっておきのディナーには、仏領時代のコロニアル建築を改装したレストランがおすすめ。雰囲気はもちろん、一流シェフによる料理は絶品。

モダンな創作ベトナム料理に舌鼓

フランス建築を生かした優雅な空間

好みのままに。アレンジプラン

自然豊かな北部には、世界遺産のハロン湾や少数民族が暮らすサパなど、訪れたい場所がいっぱい。

ハノイから日帰りで行ける焼物の村

バッチャン ▶P.159

バッチャン焼の生産地として知られる小さな村。ハノイからはバスで40分で行けるので、おみやげ探しに気軽に訪れてみては。

奇岩が織りなす神秘の湾

ハロン湾 ▶P.20

エメラルドグリーンの海に奇岩が突き出すベトナムきっての景勝地。ハノイからは日帰りで楽しめる。

美しい棚田が広がる山あいの町

サパ ▶P.34

サパは少数民族が暮らす山間部の小さな町。ハノイからは高速バスで5時間ほどかかるので1泊2日のツアーが一般的。

リノベ建築で楽しむ洗練料理の数々

ハイレベルな味と空間!! コロニアルレストラン4店

ハノイにはフレンチヴィラを改装したおしゃれな一軒家レストランがいっぱい。料理の質の高さはもちろん、雰囲気も含めて食事を楽しもう。

クラシックな雰囲気漂う店内は、古い邸宅に招待されたかのような気持ちに

伝統的なベトナム家庭料理を提供

ホーム・ハノイ

Home Hanoi

統一公園周辺 MAP 付録P.17 F-2

伝統的なベトナム料理を提供する一軒家レストラン。旬の食材を使ったオリジナルメニューも並ぶ。店名のとおり、温かみのある落ち着いた雰囲気のなか、ゆったりと食事を楽しめる。

☎024-3939-2222 交ハノイ大教会から車で12分 所75 PNguyễn Đình Chiểu, Q.Hai Bà Trưng 営11:30〜14:00 17:30〜22:00 休無休

↑うなぎのクリスピー揚げ チリロックソルト添え 30万5000VND

←シーフードチャーハン蓮の葉包み16万5000VND

→暖炉もしつらえた重厚感が感じられる一室

料理から蓮の多彩な表情にふれる

センテ

SENTÉ

旧市街 MAP 付録P.18 C-4

ベトナムの花・蓮を使った料理の数々を提供。「蓮の葉包みご飯」や「蓮の種マッシュ」など、蓮の各部分や調理法により異なる風味や歯ごたえを堪能できる。

☎091-104-8920 交ハノイ大教会から徒歩10分 所20 Nguyễn Quang Bích, Q.Hoàn Kiếm 営10:30〜14:00/17:30〜22:00 休無休

→ハスの実ミルクスープ16万VND(奥)。タニシと蓮根が入ったラーロット巻15万5000VND(右)。ハスの茎入り生春巻7万VND(手前)

セラミックタイルがおしゃれな店内。籐を各所に配して涼しげな雰囲気

洗練された空間で楽しむフレンチ

ラ・バディアン

La Badiane

大教会周辺 MAP 付録P.19 D-4

一軒家を改装したおしゃれな店内で、フランス料理をベースにしたアジアンフュージョン料理を楽しめる。「アジアのベストレストラン500」にも選ばれるなど、実力は折り紙付き。

☎024- 3942-4509 交ハノイ大教会から徒歩13分 所10 Nam Ngư, Q. Hoàn Kiếm
営11:30～13:30(LO) 18:00～21:30(LO)
休日曜

天井が高く開放感のある入口。店内は緑も多く、リラックスできる

壁に飾られたポートレート写真など、スタイリッシュな装飾が目を引く

店内にはバーカウンターも併設

夜のコースで提供されるシーフードリゾット。デザート付きの5品で189万VND

ランチコースで提供されるフォアグラと季節のスープ。4品(1杯ワイン付き)で79万5000VND

見た目にも美しい創作料理の数々

マダム・ヒエン

Madame Hiền

旧市街 MAP 付録P.18 C-2

オーナーのフランス人シェフが手がけるベトナム料理をベースにした創作料理の数々は、味はもちろん盛り付けの美しさにも定評あり。調度品や絵画などの内装も必見。

☎024-3928-1588 交ハノイ大教会から徒歩12分 所48 Hàng Bè, Q. Hoàn Kiếm
営11:00～14:00 18:00～23:00
休無休

グリル、サテーなど異なる方法で調理した鴨肉3種のプレート35万5000VND

開放的なテラス席。美しい建築を眺めながら食事を楽しめる

生春巻やサラダなど目にも美しい前菜盛り合わせ28万5000VND

フレンチヴィラを改装したクラシカルな店内。スタッフのおもてなしも一流だ

ベトナム北部の豊かで多彩な食文化を堪能!!

北部名物はこの6店で決まり!!

甘い味付けが多い南部に比べ、濃いめの味付けが特徴的な北部料理。本場ハノイならではの豊かな食材を使った名物料理をご紹介。

↓人気店のため開店と同時に行列ができることもある

行列が目印！地元客も通う有名店

フォー・ザ・チュエン

Phở Gia Truyền

旧市街 MAP 付録P.18 B-4

ハノイで最も歴史があるフォー・ボーの名店。手ごろな価格と昔ながらの変わらぬおいしさで、地元客からも人気だ。スープがなくなり次第閉店なので、早めに行くのがおすすめ。

☎0935-116311 交ハノイ大教会から徒歩10分 所49 Bát Đàn, Q. Hoàn Kiếm
営6:00～11:00 17:00～22:00 休無休

↑老舗の味を求めて賑わう店内。行列でも客の入れ替わりは早いので並んで待とう

これが名物！
フォー・ボー
Phở Bò 6万VND～
牛骨ベースの澄んだだしが特徴。チン（煮込み牛肉）、タイ（半生の牛肉）、タイ・ナム（半生＋煮込み）がある

観光客で賑わうブンチャーの老舗

ダック・キム

Đắc Kim

旧市街 MAP 付録P.18 C-3

創業1966年の観光客に人気のお店。メニューはブンチャーとカニ肉入り揚げ春巻のみ。どっさり提供される香草を入れて、自分好みの味を楽しもう。

☎024-3828-7060 交ハノイ大教会から徒歩4分
所1 Hàng Mành, Q. Hoàn Kiếm
営10:00～21:00 休無休 E E

これが名物！
ブンチャー
Bún Chả 7万VND
香ばしく焼いた豚肉や肉だんごを、ブン（米麺）と甘辛いつけダレで食べる

←カニ肉入りの揚げ春巻、ネム・クア・ベー。1本2万5000VND～

↑4階まで客席のある店内は常に観光客で賑わう

↑具材はその日に使う分を店で手作り

⬆地元客が多く、ローカル気分を味わえる

⬆市街地からはやや離れた、ローカル感漂う通りにあり、朝早くから多くの客で賑わう

地元民から愛される人気店

マイ・アイン

Mai Anh

ホム市場周辺 MAP 付録P.17 F-1

メニューはフォー・ガーのみ。地元民、観光客を問わず人気で1日300杯を売り上げる。あつあつのスープには鶏肉だんごも入ってボリュームたっぷり。15時30分までなので訪れる際は要注意。

☎024-3943-8492 交大劇場から徒歩11分 所32 Lê Văn Hưu, Q. Hai Bà Trưng 営5:30〜15:30 休無休

これが名物！

フォー・ガー
Phở Gà 6万VND
鶏ガラベースのスープが特徴の麺料理。あっさりした味付けで朝食にもぴったり

⬅フォーと一緒に食べる揚げパン、クワイ1万VND

⬆注文後すぐにあつあつのスープで仕上げてくれる

⬆フォーチエンの店が軒を連ねる通りにある

⬅壁には料理の写真があり、指さし注文も可能

名物の巻きフォーが食べられる

フォー・クオン31

Phở Cuốn 31

タイ湖周辺 MAP 付録P.16 C-2

北部名物のひとつ、フォー・クオンの専門店。そのほかにも揚げたフォーに肉野菜あんをかけたフォー・チエン(8万VND)やおこげスープなど、豊富なメニューを取り揃える。

☎0972-723131 交鎮国寺から車で11分 所31 Ngũ Xã, Q. Ba Đình 営9:00〜22:30 休無休 E

これが名物！

フォー・クオン
Phở Cuốn 7万5000VND(10本)
細く切る前の平たいフォーで牛肉や野菜を巻いたもの。ヌクマムのつけダレで食べる

⬆海鮮とキノコのおこげスープ19万VND。おこげをあんにつけて食べるのがローカル流

ハノイ発祥の名物料理を提供
チャーカータンロン
Chả Cá Thăng Long

旧市街 MAP 付録P.18 C-4

ハノイの名物料理チャー・カーの専門店。仲間や家族同士で食べるメニューとあり、店内は鍋を囲む人で大にぎわい。親切なスタッフには定評があり、食べ方も教えてくれるので初めての人も安心だ。

☎024-3824-5115 交 ホアンキエム湖から徒歩10分 所 6B Đường Thành, Q.Hoàn Kiếm 営 10:30～21:00 休 無休 E E

↑緑に囲まれたモダンなデザインの建物

↑大人数でもOKの広々とした店内

これが名物！

揚げ焼きスタイルの鍋
Chả Cá 14万VND/
1人前（写真は2人前）

カーランという魚を香草のディルなどとともにフライパンで揚げ焼きしつつ食べる

←魚醤ベースのタレでいただく、魚の身入りの揚げ春巻が付くセットメニューもある

→スタッフが調理してくれた後は、調味料で好みの味に

これが名物！

田ガニ鍋
Lẩu cua đồng bỗng rượu
35万VND

田ガニをすりつぶしたものと空心菜やバナナの花などを鍋に入れて楽しむ

↑柔らかくまるごと食べられるタガニのから揚げ8万5000VND

↑生のバナナの花を香草と和えたバナナの花のサラダ9万5000VND

肩肘張らずに楽しむベトナム料理
1946
Nhà hàng 1946

タイ湖周辺 MAP 付録P.16 C-2

地元の人から旅行者まで通う、気取らない雰囲気のベトナム料理店。空心菜の炒め物など通常の家庭料理からタガニの鍋など宴会で出される特別料理まで、豊富なメニューを取り揃える。

☎090-145-1946 交 鎮国寺から徒歩12分 所 3 Yên Thành/61 Cửa Bắc, Q.Ba Đình 営 10:30～22:30 休 無休 E E

←道路をひとつ入った小さな路地に面する店舗。↓一昔前のベトナムを感じさせるノスタルジックな雰囲気の店内

きらめく千年の都を眺めながら

美しい夜景が自慢のダイニング&バー2店

昼間と夜とで違った表情が楽しめるのもハノイの魅力。日没後は夜景の美しいお店で一杯!

開放的な屋上のバーで景色を堪能

スカイライン・ハノイ

Skyline Hanoi

旧市街 MAP 付録P.18 C-2

旧市街を一望できるルーフトップバー。カクテルのマルガリータだけで6種類もある豊富なドリンク類と美しい盛り付けの食事、眼下に広がる夜景が、ハノイの夜を盛り上げる。

☎096-808-3066 交ホアンキエム湖から徒歩4分 所38-40 Gia Ngư, Q.Hoàn Kiếm 営10:00〜23:00 休無休 E E

↑ジンやラムをベースにしたカラフルなカクテル。種類が豊富で何を飲むか迷う

↑開放的な屋上で、夜風に吹かれながらカクテルなどのドリンクを堪能

←マンゴーやエビなどをライスペーパーに巻いたフレッシュな味わいの生春巻18万VND

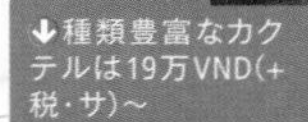

↓種類豊富なカクテルは19万VND(+税・サ)〜

↑19階から直通の専用エレベーターが設けられている

ハノイの街を見渡せる絶景バー

ザ・サミット

The Summit

タイ湖周辺 MAP 付録P.16 C-2

パン・パシフィック・ハノイの最上階にあるルーフトップバー。湖側のテラス席からは、ハノイの街並みを一望できる。カクテルなど種類豊富なアルコール類のほか、軽食もあり。

☎024-3823-8888 交鎮国寺から徒歩5分 所1 Thanh Niên, Q. Ba Đình(パン・パシフィック・ハノイ内) 営14:00〜24:00 休無休 E E

教会を眺めて優雅なひとときを

ラ・プレイス

La Place

大教会周辺 MAP 付録P.19 D-3

大教会のすぐ脇にある、フレンチヴィラを改装したかわいらしいレトロカフェ。おすすめは2階のテラス席で、目の前に大教会を望める。ドリンクのほか、軽食メニューも種類豊富。

☎024-3928-5859 交ハノイ大教会から徒歩1分 所6 Ấu Triệu, Q. Hoàn Kiếm 営7:30〜23:00 休無休 E E カード

↑スムージー各7万5000VND

←バナナチョコクレープ 7万5000VND

→スイートマンゴーチキン 9万5000VND

街のシンボルが見える特等席でひと休み

街に溶け込むフォトジェニックカフェ4店

カフェ天国ハノイ。そのなかでも街歩き中に立ち寄りたい、ロケーション抜群のカフェをご紹介します。

フォトジェニックな人気カフェ

コンカフェ

Cộng Cà Phê

大教会周辺 MAP 付録P.19 D-3

レトロベトナムがモチーフの、ハノイで人気のコーヒーチェーン店。飾られたプロパガンダアートやアルミ雑貨などが雰囲気たっぷり。上階の窓からは大教会が目の前に望める。

☎08693-53605 交ハノイ大教会から徒歩1分 所27 Nhà Thờ, Q. Hoàn Kiếm 営7:00〜23:30 休無休 E E カード

↓大教会の目の前にあり、多くの人で賑わう

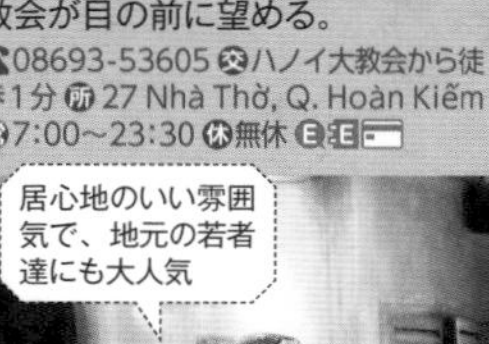

↓(左上から時計回りに)ココナッツミルクコーヒー、ヨーグルトコーヒー、スナック

↑青色の壁がさわやかなテーブル席も

古民家改装のレトロカフェ

ローディングTカフェ

Loading T Café

大教会周辺 MAP 付録P.18 C-3

古いヴィラの2階部分に位置し、ゆったりとした時間が流れるカフェ。セラミックタイルの床、アイアン付きのベランダというレトロな空間で、ハノイ発祥のエッグコーヒーを味わえる。

☎090-334-2000 交ハノイ大教会から徒歩1分 所8 Chân Cầm, Q.Hoàn Kiếm 営8:00〜18:00 休無休 E E

→通常メニューに加えコーヒーだけのイラストメニューもある

かわいいインテリアに気分もUPすること間違いなし!

ホテルのハイティーに注目!!

せっかくなら高級ホテルのハイティーはいかが? 日本より手ごろな価格で楽しめます。

老舗ホテルの人気ハイティー

ル・クラブ・バー

Le Club Bar

ホアンキエム湖周辺 MAP 付録P.19 E-1

ソフィテル レジェンド メトロポール ハノイの1階にあるカフェバー。ラグジュアリーな空間で、優雅な時間を過ごせる。3段トレーのハイティーは見た目もかわいく人気だ。

☎024-3826-6919 交ハノイ大教会から車で6分 所15 Phố Ngô Quyền, Q. Hoàn Kiếm(ソフィテル レジェンド メトロポール ハノイ内) 営6:00~23:00(ハイティーとチョコレートビュッフェは15:00~16:30) 休無休 E E

→カクテルを味わいながらジャズの生演奏を鑑賞できる

69万VND+税・サ

→ハイティー
High Tea
スイーツや軽食を3段重ねのトレーで提供。紅茶は好きな種類を選べる。提供は15:00~17:30

ホアンキエム湖を望んでひと休み

カフェ・フォー・コー

Cà Phê Phố Cổ

旧市街 MAP 付録P.18 C-3

みやげ物店の横の路地を進むとたどり着く、隠れ家のような古民家カフェ。屋上のテラス席からはホアンキエム湖を間近に望める。店の入口で先にオーダーするのを忘れずに。

☎024-3928-8153 交ハノイ大教会から徒歩6分 所11 Hàng Gai, Q. Hoàn Kiếm 営8:00~23:00 休無休 E

湖を望むテラス席で優雅なコーヒータイム

←アボカドスムージー5万VND

↓チーズケーキ4万VND(手前)。ホットエッグコーヒー4万5000VND(中央)。アイスエッグコーヒー4万5000VND(奥)

←店名を目印に店内に進み、右手にある細い通路を奥に進もう

→店内は古めかしく入り組んだ造り

↓ゆったりできる屋内席もあり

優雅な香りに包まれる幸せな時間

お茶ならココ!! 評判の2店

ハノイはお茶の文化が根付く街。蓮茶や菊茶など種類も豊富です。ベトナムの伝統的なお茶を楽しめる2店をご紹介します。

↑オーナー自ら振る舞うていねいに淹れられた一杯のお茶

↑茶器のほか選りすぐりのお茶を集めたギフトセットも

蓮茶の他に複数のお茶があるので、飲み比べてみよう

こだわりのベトナム茶を提供

ヒエン・ミン・ティーハウス

Hien Minh Tea House

文廟周辺 MAP 付録P.17 E-2

オーナー夫妻が自ら育てた蓮や茶葉を使った、上質なベトナム茶を楽しめる。名物は白茶と蓮の花びらによる「白蓮茶」。6～7月頃には予約制で、蓮の花から蓮茶を手作りする体験も行っている。

☎094-267-0513 交 文廟から徒歩3分
所 13 Ngô Tất Tố, Q.Đống Đa
営 8:00～22:00 休 無休 E E

↑→ハノイ伝統のお菓子などもお茶と一緒に味わえる2万～3万5000VND

現地でのみ提供するスイーツやドリンクを味わえるカフェ

ベトナム産カカオから作るチョコ

メゾン・マルゥ

Maison Marou

ホアンキエム湖周辺 MAP 付録P.19 E-3

ベトナムみやげとして人気の、おしゃれなパッケージで有名なチョコレートショップ。ベトナム産カカオときび砂糖で作るチョコレートはリッチな味わい。カフェでは自慢のチョコレートを使ったスイーツやドリンクを提供。

☎024-3717-3969 交 ハノイ大教会から徒歩12分 所 91 A Thợ Nhuộm, Q.Hoàn Kiếm
営 9:00～22:00/金・土9:00～22:30/日9:00～22:00 休 無休 E E C

↑Mの文字がかわいいカフェ・カプチーノ7万VND

←チョコレートドリンクのショコラクッキー12万VND

↓デコレーションがかわいいチョコレートタルト13万VND

↓さまざまなフレーバーのアイスクリームも。暑い日におすすめ

↑店内には持ち帰り商品のコーナーがあり、メゾン・マルゥのラインナップが揃う

あったか系&ひんやり系、どっちも試したい!!

ローカルスイーツ3店

ハノイのローカルっ子たちに愛されるスイーツの数々。ココでしか食べられないメニューばかりだから、ぜひ試してみて!

A 4万VND ホア・クア・ケム
たっぷりフルーツと練乳入りヨーグルトにソフトクリームをオン

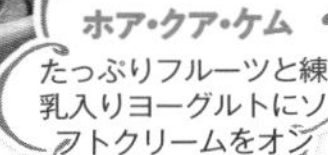

B 1万5000VND コーヒーのタオ・フォー
控えめな甘さの豆腐にコーヒーをかけた新感覚スイーツ

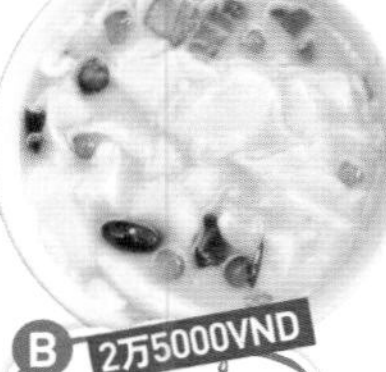

C 3万VND ジャックフルーツ入りチェー
ジャックフルーツのシャキシャキ食感が楽しいデザート

C 2万5000VND ミックスチェー
どのチェーにするか迷ったらとりあえず、すべてが入ったこれ

A 3万VND ケム・ソイ
ココナッツミルクで炊いたもち米にソフトクリームをトッピング

B 1万7000VND あずきのタオ・フォー
小豆を豆腐にトッピングした、日本人にもなじみのある味

A 3万VND スアチュアネプカム
甘く炊いた黒もち米にヨーグルトをかけたもの。よく混ぜて食べる

B 2万5000VND ミックス・タオ・フォー
小豆、ゼリー、タピオカなど数種類のトッピングを楽しめる

C 3万VND 赤豆と蓮の実のチェー
豆好きにはたまらない一品。たっぷりの豆と蓮の実が楽しめる

A 初心者も入りやすい人気店

ホア・ベオ

Hoa Béo
旧市街 MAP 付録P.18 C-3

チェー屋が多く並ぶ通りにある人気のスイーツ店。旅行客も多くスタッフも慣れているため入りやすく、気軽にローカルの味を楽しめる。メニューはすべて写真があるので、指さしオーダーも可能。

☎093-754-1988 交 ハノイ大教会から徒歩7分 所 17 Tô Tịch, Q. Hoàn Kiếm 営 10:00〜23:00 休 無休 E E

B 多彩なトッピングが魅力

ジェリー・ビーン

Jelly Bean
ホアンキエム湖南部 MAP 付録P.19 F-3

人気の豆腐スイーツ専門店。豆腐のみ、豆腐＆豆乳など4種類のベースから1つを選び、ゼリーやタピオカなどをトッピングしていくスタイル。メニュー表には英語も添えられていてわかりやすい。

☎024-6675-2820 交 ハノイ大教会から車で7分 所 28 Quang Trung, Q. Hoàn Kiếm 営 7:00〜22:00 休 無休 E E

C 地元気分で楽しむチェー

チェー・ボンムア

Chè 4 Mùa
旧市街 MAP 付録P.18 B-3

ハノイっ子に人気の老舗チェー店。プラスチックの小椅子に座り、現地の人に交じって食べるローカル店ならではの体験ができる。落ち着いて食べたい人は、向かいにある店舗でも注文できる。

☎098-458-3333 交 ホアンキエム湖から徒歩6分 所 4 Hàng Cân, Q.Hoàn Kiếm 営 10:00〜23:00 休 無休

センスが光るおしゃれアイテムが充実

4店のセレクトショップで宝探し

ハノイの街なかには心をくすぐるハイセンスなショップが目白押し。
気になるお店を巡って、ココでしか手に入らないアイテムをGETして。

332万8000VND
↑木製でできた高級感あふれるモノポリー

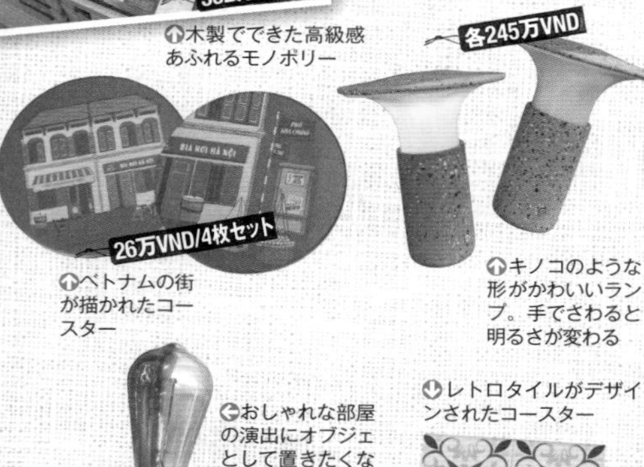

↑ベトナムの街が描かれたコースター

↑キノコのような形がかわいいランプ。手でさわると明るさが変わる

←おしゃれな部屋の演出にオブジェとして置きたくなるランプ

87万8800VND

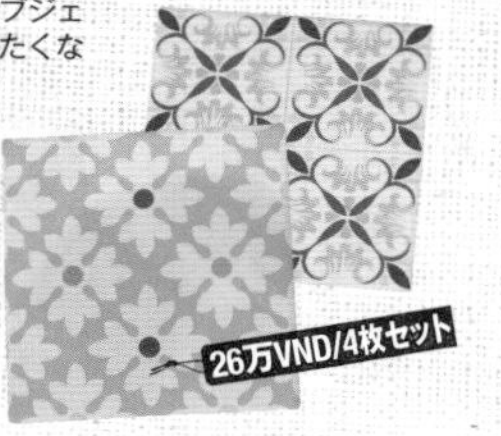

↓レトロタイルがデザインされたコースター

↑表紙がベトナムモチーフのノート。いろいろな種類がありどれにするか悩む

↓動物をモチーフにした革製キーホルダー

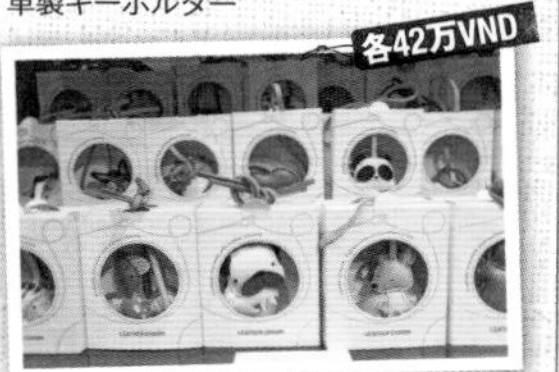

→フォーなどの麺料理や空芯菜など食材が描かれるミトン

→ハノイの地図や風呂椅子とベトナムらしいモチーフが魅力的なトートバッグ

←カバーデザインも豊富なA5サイズ、160ページのノート

→鍵をリングに掛けて、中に収納できるキーケース

20万5000VND

21万5000VND

↓ハノイトロピカルエスケープという名前のアロマキャンドル

→ハノイ、サパ、サイゴンと都市名が名付けられたアロマオイル

温かみある自然素材の雑貨たち

ザ・クラフト・ハウス・カテドラル

The Craft Huose Cathedral

大教会周辺 MAP 付録P.19 D-3

木や革など、自然素材で手作りした雑貨などが揃う。バインミーのマグネットなど、ベトナムをモチーフにしたオリジナル小物も多様に販売。有料で箱入りのラッピングにも対応。

☎090-999-1042 交ハノイ大教会から徒歩1分 所19 Nhà Chung, Q.Hoàn Kiếm 営9:00〜21:30 休無休 E

↑個性的な雑貨が所狭しと並ぶ

↑オリジナルデザインの帽子やTシャツなども

オーナーこだわりの品がたくさん

コレクティブ・メモリー

Collective Memory

大教会周辺 MAP 付録P.19 D-3

雑誌編集者のベトナム人オーナーが、国内各地から集めたこだわりの品が並ぶ。伝統の民族雑貨をモダンにアレンジしたアイテムのほか、おみやげにぴったりな食品なども。

☎098-647-4243 交ハノイ大教会から徒歩1分 所12 Nhà Chung, Q. Hoàn Kiếm 営10:00〜18:30 休無休 E

↑大教会の近くにあり観光途中に寄りやすい

↑オーナー自ら集めた品々が所狭しと並ぶ

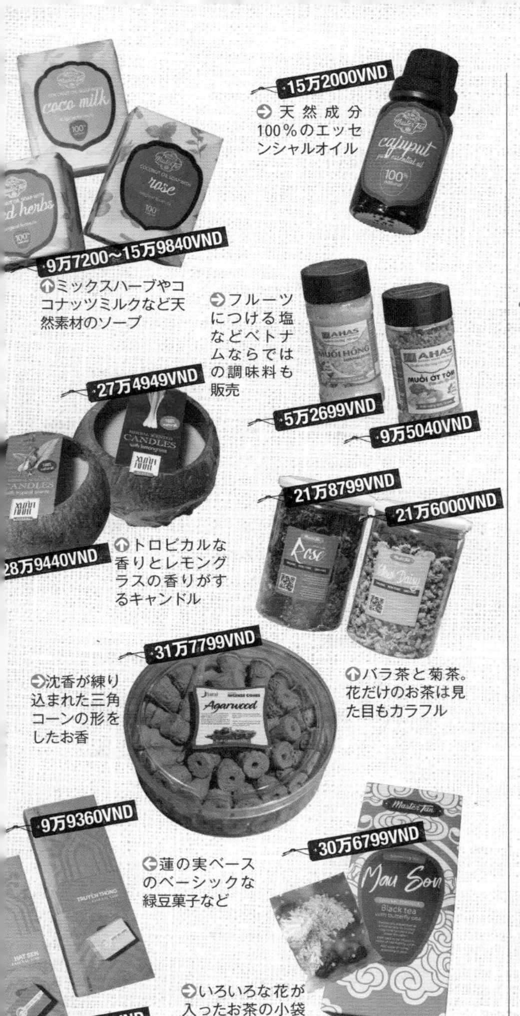

15万2000VND
➲天然成分100%のエッセンシャルオイル

9万7200～15万9840VND
⇧ミックスハーブやココナッツミルクなど天然素材のソープ

5万2699VND
9万5040VND
➲フルーツにつける塩などベトナムならではの調味料も販売

27万4949VND
28万9440VND
⇧トロピカルな香りとレモングラスの香りがするキャンドル

21万8799VND
21万6000VND
⇧バラ茶と菊茶。花だけのお茶は見た目もカラフル

31万7799VND
➲沈香が練り込まれた三角コーンの形をしたお香

9万9360VND
13万2840VND
⇦蓮の実ベースのベーシックな緑豆菓子など

30万6799VND
➲いろいろな花が入ったお茶の小袋の詰め合わせ

27万VND
➲お弁当入れやちょっとしたおでかけ向きのオリジナルバッグ

⇩ベトナム在住アーティストの版画作品なども取り扱う

各12万VND
⇧ちょっとした小物を入れておくのに便利でかわいいポーチ

各16万5000VND

⇩おでかけの際の化粧品など何を入れようかと楽しみなるポーチ

32万VND

8万4000VND
➲ここでしか購入できないレトロな柄がかわいいリングノート

36万VND 50mℓ
28万VND
⇦タマヌオイル、タマヌソープなどハノイではこのお店だけがタランブランドの商品を取り扱う

ナチュラル系のおみやげが大集合
マスター・タン
Master Tan

ホアンキエム湖周辺 MAP 付録P.18 C-2

ベトナム産のハーブやオイル、お茶など自然由来の製品が盛りだくさん。価格帯・種類ともに多彩に揃っているのでまとめ買いに最適。試食や試飲ができるものもあり、安心して購入できる。

☎082-834-1188 交ホアンキエム湖から徒歩1分 所102 Hàng Đào, Q.Hoàn Kiếm 営8:30～23:00 休無休 E 💳

⇧ホアンキエム湖そばで旅行者も行きやすい

⇧山積みの商品のなかからおみやげを選べる

選りすぐりのベトナムギフトが揃う
エム・ハノイ
Em Hanoi

文廟周辺 MAP 付録P.17 D-4

コーヒー豆から化粧品まで、ベトナム全土のギフトが大集合。京都の企業との協業で実現した、更紗文様のアオザイなどオリジナルブランドも展開。文廟そばにあり観光がてら立ち寄れる。

☎038-369-2662 交文廟から車で12分 所12-14 Nguyễn Văn Ngọc, Q.Ba Đình 営10:00～19:00 休月曜 J E 💳

⇧ハノイにいながら全国のおみやげを購入可能

⇧持ち帰りやすい小瓶のジャムなども販売

プレゼントに、自分用に、テッパンアイテムを厳選

確かな逸品が揃う専門店5店

ハノイには質の高いハンドメイド製品を扱う専門店が多数。自分へのご褒美にもぴったりのアイテムを揃えるお店をご紹介。

藍染め製品を豊富に揃える

インディゴストア

Indigo Store

文廟周辺 MAP 付録P.17 E-2

北部山岳地帯に住む少数民族が育て作ったオーガニック綿や麻の染織を自社工房で仕上げた藍染めのファッション雑貨を販売。店舗の上階にある工房は見学も可能だ。

☎024-3719-3090
交 文廟から徒歩6分
所 33A Văn Miếu, Q. Đống Đa
営 8:00～19:00 休 無休 J E カード

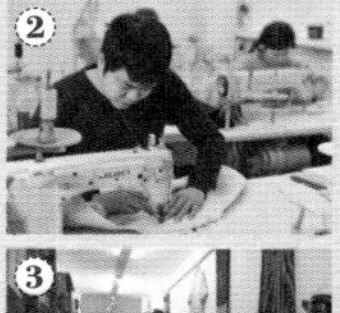

1.店舗は文廟のすぐそばで見つけやすい
2.3階工房で縫製や染色の様子が見られる
3.藍染めのウェアやストール類がずらり
4.さまざまな形、色の染物小物を提案

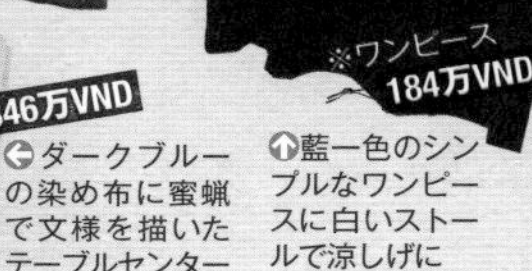

↑藍一色のシンプルなワンピースに白いストールで涼しげに

→絞ったり複数回染めるなどして美しい柄を表現したストール

←ダークブルーの染め布に蜜蝋で文様を描いたテーブルセンター

←北部の少数民族、ザオ族の文様をあしらった藍染めポーチ

↑モモタマナやゴボウなどを使った草木染めのポップなポーチ

画家が手がける新しい手作り陶器

ヒエン・ヴァン・セラミックス

Hiên Vân Ceramics

大教会周辺 MAP 付録P.18 C-3

ベトナム古代の陶器に魅せられ、陶芸を学んだ画家が制作した陶器を扱う。11世紀の陶器からインスピレーションを受けた花瓶や置物は古風ながらも洗練されていて、かざるだけで優美な空間を演出する。

☎094-964-8905 交 ハノイ大教会から徒歩3分 所 8 Chân Cầm, Q.Hoàn Kiếm
営 9:00～18:00 休 無休 E カード

1.デザインやサイズなど多様な壺が並ぶ店内
2.美しい色合いの陶器に画家のセンスが光る
3.こぢんまりとした店は、掛け看板が目印

←ふちに雲がデザインされた茶碗。サイズ違いが4段階

←縁取りが花びらのようでかわいい小皿

←月餅をモチーフにしたふた付きの器

←家の片隅に飾りたくなる、にわとりのオブジェ

↓落ち着いた色合いの小さな花器

↓色違いもあり、どの猫の置き物にするか迷ってしまう

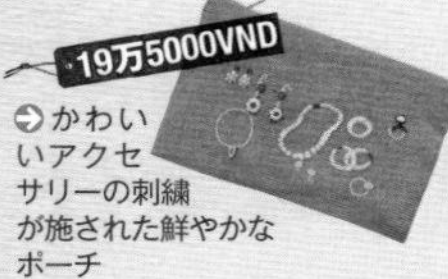
19万5000VND
➡かわいいアクセサリーの刺繍が施された鮮やかなポーチ

135万VND
➡精巧なデザインのピアス。揺れるフリンジがキュート

⬇ベトナムらしい蓮の花が刺繍されたクッション

58万8000VND

⬇水牛の角から作られたネックレス。長さの調節も可能
28万2000VND～

ハイセンスなウェアや雑貨が揃う

タン・ミー・デザイン

Tan My Design
旧市街 MAP 付録P.18 C-3

シルクショップ「タン・ミー」がプロデュースする大型ブティック。ウェアのほか国内のハイセンスなセレクト雑貨なども扱う。2階には美しい刺繍アイテムが多数。1階にはカフェも併設。

☎024-3938-1154 交ハノイ大教会から徒歩5分 所61-63 Hàng Gai, Q. Hoàn Kiếm 営8:30～19:30 休無休 E

1.シルク製品から刺繍製品、小物までアイテムの幅はハノイでも屈指 2.2階にはトレンド感ある洋服が並ぶ 3.センスあるテーブルウェアもあり

ホーロー食器を入手するならココ

ニョム・ハイ・フォン

Nhôm Hải Phòng
旧市街 MAP 付録P.18 A-3

ハノイ随一の品揃えを誇る、ホーロー製品の専門店。小さな店内ながら、ハンドペイントがレトロかわいいマグやプレートなど、ハイフォンの工場から仕入れた製品が所狭しと並ぶ。

☎024-826-9448 交ハノイ大教会から徒歩14分 所38A Hàng Cót, Q. Hoàn Kiếm 営7:30～18:00頃 休無休

22万VND
➡食卓に花を添えてくれそうな愛らしいサイズのお皿

18万VND
⬅伝統の花柄模様をあしらったタライ。軽くて使いやすい

➡赤い花模様が目を引くレトロなコップ。蓋付きで使いやすい
25万VND

1.骨董品のホーローも飾られている 2.入口が狭いので見落とさないよう注意。赤い看板が目印 3.すみずみまで見て掘り出し物を探したい

↘たっぷりサイズの鍋。蓋にも美しい模様があしらわれている

35万VND
14万VND
⬆青とオレンジの配色がかわいいコップ。小さいサイズが愛らしい

15万VND
⬅ストライプ模様が目を引くプラカゴバッグ。持ち手もキュート

15万VND
⬆上品な色合いのカゴバッグ。独特なフォルムもかわいい

25万VND
⬆フリンジ付きの籠バッグ。大きく口が開き容量もバッチリ

⬇ナチュラル素材のかっちりバッグ。夏のフォーマルな装いにも

30万VND

10万VND
⬆スクエアの籠バッグ。素朴なデザインが愛らしい

1.おみやげ向きのかさばらないコースターなども販売 2.店の外まで商品がいっぱい 3.店先のスタッフに伝えれば2階の倉庫に案内してくれる

かわいいプラカゴをゲットしよう

コーハー

Cô Hà
旧市街 MAP 付録P.18 B-3

ござの専門店として始まった、創業100年の名店。2階にも倉庫があり、ラタンやイグサの籠やバッグ、プラカゴなどがぎっしり。良心的な価格設定で、クチコミのお客も多い。

☎024-3928-0066 交ハノイ大教会から徒歩14分 所74B Hàng Chiếu, Q. Hoàn Kiếm 営8:00～18:00 休無休

キッチュなベトナム雑貨やグルメみやげの宝庫!

市場&スーパーで見つけるプチプラみやげ

おみやげ選びなら市場やスーパーもおすすめ。雑貨からバラマキ用までおみやげ向きのアイテムが揃います。観光ついでに寄れるアクセスの良さも魅力的!

観光客も多く訪れる地元のスーパー

BRGマート

BRGMart

ホアンキエム湖周辺 MAP 付録P.19 D-3

観光客が立ち寄りやすいホアンキエム湖やハノイ大教会近くの立地。入口そばにおみやげ向きの商品が並ぶ。2階にはフォーなどのインスタント麺や調味料などがある。

☎043-8325-6148 交ホアンキエム湖から徒歩3分
所120 Hàng Trống, Q.Hoàn Kiếm 営7:00～22:00 休無休

1 お湯をかけて作るインスタントのフォー・ガー
2 鍋のシメとしても人気のインスタントラーメン
3 ハイランドコーヒーブランドで粉タイプのもの
4 ヌクマム、胡椒など調味料類も豊富に揃う
5 ベトナム名物の蓮茶。ティーバッグタイプ
6 地元っ子にも人気のインスタントラーメン類
7 本場の味が手軽に楽しめるインスタントコーヒー
8 お酒にも合う豆菓子。ココナッツ味とチーズ味
9 油で揚げると膨らむえびせんべいの素
10 きなこのような伝統菓子。お茶うけにおすすめ
11 春巻の皮。水でふやかしてから使う
12 数種類が楽しめるミックスドライフルーツ
13 ハノイをはじめベトナム各地のビールが揃う
14 蓮の実を乾燥させたお菓子。素朴で懐かしい味
15 家でも簡単にベトナムの味を再現できる調味料

活気あるハノイ中心部最大の市場

ドンスアン市場

Chợ Đồng Xuân

旧市街 MAP 付録P.18 A-3

1階は日用雑貨、2、3階は衣料品の店がぎっしりと並ぶ。おみやげ向きの雑貨を売る店は、1階の入口近くに集中している。食料品は大入りなので要交渉。迷ったら真ん中の噴水を目印に。

☎店により異なる 交ハノイ大教会から徒歩14分 所 Chợ Đồng Xuân, Q. Hoàn Kiếm 営8:00〜18:00 休店により異なる

1 ベトナム国旗がモチーフのミラー。片方は拡大鏡
2 エコなバンブーストロー10本。洗浄ブラシ付き
3 ココナッツをベースに螺鈿細工が施されたピアス
4 ナチュラル素材のボウル。さまざまな色がある
5 アオザイを着た女性が描かれたつまようじ入れ
6 水牛の角で作ったカトラリー。柄がキュート
7 エアメールをモチーフにしたキッチュなミニポーチ
8 ベトナムコーヒーに欠かせないアルミフィルター
9 端正なイラストが描かれたショットグラス

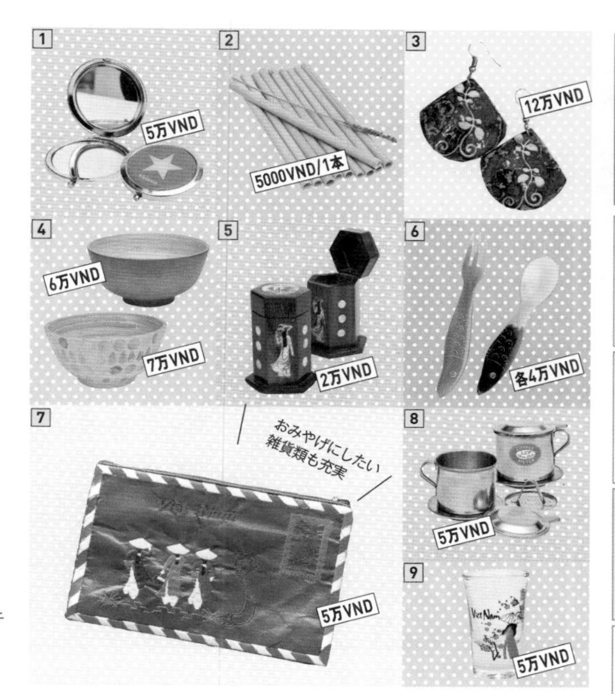

掘り出し物が見つかるかも!?

ハンザ市場

Chợ Hàng Da

旧市街 MAP 付録P.18 C-4

昔ながらの雰囲気を残す市場。地下にバッチャン焼や食料品、キッチン雑貨など観光客に人気の店が並ぶ。地下への入口がややわかりにくいので注意。正面右のアーケードを下りるのが近道だ。

☎店により異なる 交ハノイ大教会から徒歩6分 所 Chợ Hàng Da, Q. Hoàn Kiếm 営9:00〜18:00(バッチャン焼きコーナー) 休店舗により異なる

1 小物入れとしても使えるバッチャン焼の薬壺
2 ティーポットと湯呑み、トレーの茶器セット
3 バッチャン焼の伝統的な柄が描かれたレンゲ
4 ペッパーミル。実用よりもインテリア向き
5 蓮の花が描かれたバッチャン焼の小物入れ
6 立体的な模様が印象的なバッチャン焼のお皿
7 蓮のマークが入っているステンレスのレンゲ

美しいコロニアル建築と湖畔めぐりを満喫

ハノイ大教会周辺 BEST SPOT 4

大教会やホアンキエム湖などがあり、ハノイ観光の中心となるエリア。歴史あるコロニアル建築の建物など、古都の雰囲気を味わいながら街歩きを楽しみたい。

ベトナムの歴史を感じられる観光スポットが多数

まずはハノイ観光の中心である大教会へ。ネオ・ゴシックの様式の美しい建物やステンドグラスを堪能したら、ホアンキエム湖へ向かおう。湖の周辺は遊歩道も整備されており、のんびりと散策できる。湖の西側にある大劇場や歴史博物館の荘厳な姿から、フランス統治下のベトナムを感じられる。歴史博物館で、ベトナムの歴史をじっくり学ぶのもおすすめだ。

重厚感漂うハノイのシンボル

1 ハノイ大教会（聖ヨセフ聖堂）

Nhà Thờ Lớn

MAP 付録P.19 D-3

仏領下の1886年、仏教寺院の跡地に建設され、1900年初頭に現在のネオ・ゴシック様式に改築された。時折、鐘の音が鳴り響いて風情ある雰囲気に。

☎024-3828-5967 交大劇場より徒歩12分 所Nhà thờ, Q. Hoàn Kiếm 開8:00～11:00 14:00～17:00 ※教会内に立ち入りできない場合あり 休無休 料無料

↑観光客も内部見学が可能。ベネチアから輸入されたステンドグラスは必見だ

←聖書をモチーフにしたオブジェなど、造形の細かさに目を奪われる

徒歩時間の目安

1 ハノイ大教会
徒歩11分
2 玉山祠
徒歩14分
3 大劇場
徒歩3分
4 歴史博物館

歩く距離 約2.3km

歴史上の英雄を祀る由緒ある祠

2 玉山祠

Đền Ngọc Sơn

MAP 付録P.18 C-2

ホアンキエム湖上のゴックソン島にある祠。歴史上の聖人などを祀っており、内部には1968年に湖で捕獲された体長約2mの大亀の剥製も。

☎024-3825-5289 交ハノイ大教会から徒歩9分 所Đinh Tiên Hoàng, Q. Hoàn Kiếm 開7:00～19:00(土・日曜は～22:00) 休無休 料5万VND

➡テーフック橋の先にある正殿前の門。装飾も美しい

⬆島内すべてが敷地となっておりホアンキエム湖を一望できる

⬅大亀の剥製。当時は伝説の亀と話題になった

ハノイを代表するフランス風建築

3 大劇場

Nhà Hát Lớn

MAP 付録P.19 E-1

フランス統治下の1911年にパリのオペラ座を模して建築された劇場。現在も演劇やオペラが上演されているが、見学のみの入場はできない。※2025年より改装工事の予定あり

☎024-3933-0113 交ハノイ大教会から徒歩12分 所1 Tràng Tiền, Q. Hoàn Kiếm 開イベント鑑賞時以外は入場不可 休無休 料イベントによる

⬇荘厳な外観は眺めるだけでも楽しめる

ベトナムの歴史を伝える

4 歴史博物館

Bảo tàng Lịch sử

MAP 付録P.19 E-1

先史時代から近代まで、ベトナムの歴史を今に伝える国立博物館。道路を挟んだ2棟の建物で構成されており、貴重な展示物の数々を時代ごとに展示する。

☎024-3825-2853 交大劇場から徒歩3分 所1 Tràng Tiền／216 Trần Quang Khải, Q. Hoàn Kiếm 開8:00～12:00 13:30～17:00 休月曜 料4万VTD、6歳以下無料

⬆インドシナ様式建築の傑作と名高い建物

➡展示物の充実度はベトナム国内でも屈指

⬅先史時代から近代までの歴史を時代ごとに展示する

活気あふれる迷路のような街を散策

小さなお店がひしめく路地を気の向くままに街歩き

縦横無尽に張りめぐらされた路地を歩く

旧市街周辺 BEST SPOT 5

ベトナムらしい建物や風景が見られる旧市街。間口1mほどの店が密集する迷路のような街はハノイならでは。ぶらりと街歩きを楽しもう。

古き良き街並みが今も残るローカル感あふれるエリア

ホアンキエム湖の北側に広がるエリア。入り組んだ小道は通りごとに同じジャンルの職人たちが店を構えている。まずはわかりやすい東河門からスタートし、散策しながらホアンキエム湖方面に進もう。台所用品を揃えるハンコアイ通りやおみやげ店が並ぶカウゴー通り、シルク製品を扱うハンガイ通りは必見だ。狭い通りをバイクや車が通るため通行には注意。

ハノイの人々の飾らない日常が垣間見える旧市街

現存する最後の旧ハノイ城門

1 東河門

Cửa Dông

MAP 付録P.18 A-2

旧ハノイ城の門のひとつ。1749年に建てられ、19世紀に修復された。当時は16の城門があったが多くはフランスによる植民地時代に破壊され、現存する門はこれだけ。

㊋ハノイ大教会から徒歩15分

↑3つの通路のうち中央のみバイクが通行可能

食器など台所用品の店が連なる

2 ハンコアイ通り

Phố Hàng Khoai

MAP 付録P.18 A-3

ドンスアン市場の北側、360mほどの短い通りにフライパンや鍋、食器などキッチン用品を扱う店が集まる。ベトナムらしい水玉模様のコップなどもここで手に入る。

㊋ハノイ大教会から徒歩16分

↑店によってそれぞれ専門とする品物が異なる

→店先まで商品がずらり。茶器なども販売

N
150m

2 ハンコアイ通り
ニョム・ハイ・フォン
ドンスアン市場
チャンニャットズアット通り
Ly Nam Đe
Hang Cot
Phung Hung
Hang Chieu
ハー・リエン
Ngo Gach
東河門 1
ござや暖簾の通り。籠バッグなどもあり
Hang Buom
白馬最霊祠
ベトナム鉄道 VNR
Ma May
3 マーマイの家
ハノイア
ハンバック通り
ラ・シエスタ・クラシック・マーマイ
Hang Bo
Hang Be
Hang Tre
ボタンやリボンなど手芸用品の店が並ぶ
Hang Dieu
カウゴー
4 カウゴー通り
ハンザ市場
5 ハンガイ通り
Lo Su
玉山祠
Hang Bong

かつて外敵から街を守っていた城門は重厚感たっぷり

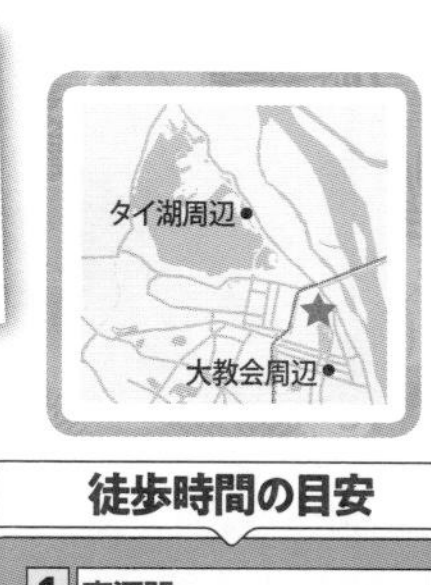

タイ湖周辺
大教会周辺

徒歩時間の目安

1 東河門
徒歩5分
2 ハンコアイ通り
徒歩10分
3 マーマイの家
徒歩5分
4 カウゴー通り
徒歩5分
5 ハンガイ通り

歩く距離 約2.0km

昔の暮らしを伝える貴重な建造物

3 マーマイの家

Nhà Cổ Mã Mây

MAP 付録P.18 B-2

19世紀後半の伝統的な木造家屋。2階建ての建物では居間、寝室、トイレ、中庭などを見学することができ、当時の生活の様子が垣間見える。目立つ看板などはないので、住所を頼りに見逃さないよう注意。

☎024-39285604 交ハノイ大教会から徒歩12分 所87 Mã Mây, Q. Hoàn Kiếm 開8:00～12:00 13:00～17:00(土・日曜は19:00～21:30も開場) 休無休 料1万VND

⬇裕福な商人の木造家屋。屋内には当時の生活を物語る家具や陶磁器などの調度品が置かれている

⬇静かな時間が流れる屋内。2階も見学可能

⬇間口が狭く奥行きがある。中央には採光のための中庭が

賑やかな旧市街の玄関口

4 カウゴー通り

Phố Cầu Gỗ

MAP 付録P.18 C-2

ホアンキエム湖北側すぐを東西に走る通り。古い建物とコロニアル建築が混在した独特の風景が特徴的だ。観光客向けのツアーデスクやホテル、レストラン、みやげ店などが集まる。

交ハノイ大教会から徒歩8分

⬆バイクや車、シクロなども通行しており常に混雑

➡花売りの女性など、ローカル感満載な風景にも出会える

良質なシルク製品が見つかる

5 ハンガイ通り

Phố Hàng Gai

MAP 付録P.18 C-3

シルクを扱う生地屋と、洋服をオーダーメイドできる洋装店が並ぶ。バッグや雑貨小物などのファッションアイテムや既製品のアオザイなども手に入る。

交ハノイ大教会から徒歩4分

⬆ハノイでも有数のショッピング街

喧騒を忘れさせるハノイのもうひとつの顔
タイ湖周辺 BEST SPOT 4

中心部から車で約10分の場所にあるハノイ最大の湖、タイ湖。周辺には高級ホテルやハイセンスなショップなどが点在。優雅で洗練された雰囲気を味わえる。

美しい景観を楽しみながらおしゃれショップを巡ろう

市街地だけでも10以上の湖が点在するハノイで、最も美しい湖と評されるタイ湖。まずは歴史ある鎮国寺へ足を運び、豊かな景色を楽しもう。6月から7月にかけては美しい蓮の花が見頃。その後はハイセンスなショップを巡ったりレストランに足を運んだりと過ごし方はさまざま。夕暮れどきには湖を一望できるサンセット・バーで夕陽を眺めるのがおすすめ。

由緒あるベトナム最古の寺院

1 鎮国寺

Chùa Trấn Quốc

MAP 付録P16 C-2

湖に浮かぶ小さな島にある、ベトナム最古といわれる寺院。もともとは別の場所にあり、17世紀に現在の場所に移された。敷地はそれほど広くないが、釈迦や菩薩、関羽などさまざまな神様や聖人が祀られている。

交ホーチミン廟から車で6分 所Thanh Niên. Q. Ba Đình 営7:30～11:30 13:30～17:30 休無休 料無料

↑寺のシンボルともいえる、特徴的な赤い仏塔。中には高僧たちの遺骨が納められている

↑人で賑わう中庭。いろいろな建築様式が混在する

↑正門。右側の入口から入場できる

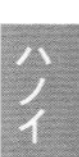

移動時間の目安

1 鎮国寺
車で19分
2 蓮池
車で7分
3 アンナム・グルメ
徒歩14分
4 サンセット・バー

移動距離 約8.8km

湖面いっぱいの蓮花は圧巻

2 蓮池
Hồ Sen Hồ Tây

MAP 付録P.16 A-4

タイ湖の北西、西湖ウォーターパーク近くにある蓮池(セン・ホー・タイ)。ベストシーズンは6月から7月頃で、湖面いっぱいに咲く蓮の花を楽しめる。早朝に開花するので、早起きして出かけよう。

☎0839-968-968 交鎮国寺から車で19分 所Sen Hồ Tây, Q. Tây Hồ 営休散策自由 料蓮池内への入場は5万VND程度必要

↑湖面いっぱいに咲く蓮の花には圧倒される

→花は短命で開花から3〜4日で散ってしまう

プチプラみやげの宝庫

3 アンナム・グルメ
Annam Gourmet

MAP 付録P.16 B-3

海外からの駐在員もご用達の高級スーパーマーケット。ベトナム産の高級ジャムやナッツ類などほかにはない高品質な品揃えで、ちょっと特別感のあるおみやげ選びに最適。お茶や食事ができるスペースも。

☎024-6673-9661 交鎮国寺から車で10分 所Tòa Nhà Syrena, 51 Đ. Xuân Diệu, Q.Tây Hồ 営7:00〜21:00 休無休 E

←クラフトビール7万6000VND〜7万7000VND IPAやピーチエールなどが購入可

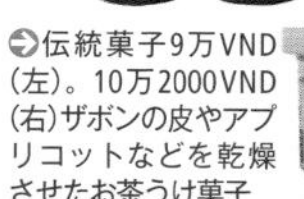

→伝統菓子9万VND(左)。10万2000VND(右)ザボンの皮やアプリコットなどを乾燥させたお茶うけ菓子

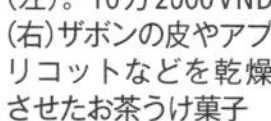

夕暮れ時の景色は圧巻

4 サンセット・バー
Sunset bar

MAP 付録P.16 B-3

インターコンチネンタル・ハノイ・ウエストレイク内にあるオープンバー。席数も多く開放感があり、ゆったりと過ごせる。タイ湖を一望できるテラス席がおすすめだ。

☎024-6270-8888 交鎮国寺から車で10分 所5 Từ Hoa, Q. Tây Hồ(インターコンチネンタル・ハノイ・ウエストレイク内) 営16:00〜24:00 休無休 E E

↑夕暮れ時には幻想的な風景が楽しめる

→サンセットマティーニ20万VND

←ハイスツールやカウンター席もあり

周辺スポット ベトナムを深く知る歴史スポット巡り

ベトナムの王朝時代から現代まで、1000年の歴史を持つといわれる首都ハノイには、国の歴史を物語るスポットが多数。今とは趣の異なるベトナムに思いを馳せてみよう。

孔子を祀る学問の象徴

文廟

Văn Miếu

MAP 付録P.17 E-3

1070年に孔子を祀るために建立された廟。1076年にはベトナム初の大学「国子監」が境内に建設され、約700年にわたり優秀な人材を輩出してきた。現在も学業成就や合格祈願に訪れる人が多い。

☎024-3845-2917 交ホーチミンの家から徒歩20分 所58 Quốc Tử Giám, Q. Đống Đa 開8:00～17:00 休無休 料7万VND

国子監には当時の衣装や教材なども展示されている

↑クエ・ヴァン・カック(奎文閣)は10万VND札にも描かれている

↑正門の文廟門。中央部分はかつて王族や高官専用だった

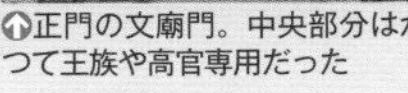

↑第一城壁にあった正門・ドアン門。楼閣には上ることもできる

人柄がわかる庶民的な家

ホー・チ・ミンの家

Nhà Sàn Bác Hồ Chí Minh

MAP 付録P.17 D-3

ホー・チ・ミンが1954年から亡くなる1969年まで過ごした家。室内への立ち入りは禁止だが、廊下から書斎や寝室など部屋の様子を見学できる。質素な暮らしぶりから庶民的で素朴な人柄がうかがえる。

☎080-44287 交文廟から徒歩20分 所1 Bách Thảo, Q. Ba Đình 開7:30(11～3月は8:00)～11:00 13:30～16:00 休月・金曜の午後 料4万VND

↑湿気の多いハノイの気候に合わせた木造高床式

吹き抜けの1階には大きな長机と椅子が置かれている

栄華を極めた王朝の城跡

タンロン遺跡

Hoàng Thành Thăng Long

MAP 付録P.17 D-2

11～19世紀にかけてベトナム王朝の都が置かれた、歴史上の重要地域。2010年にはベトナムで6カ所目のユネスコ世界遺産に登録された。

☎024-3734-5427
交文廟から徒歩13分
所19C Hoàng Diệu, Q. Ba Đình
開8:00～17:00
休無休 料7万VND

↑タンロン遺跡の南側にある、復元された国旗掲揚台

遺跡から出土した貴重な遺物を展示した資料館もある

ホー・チ・ミンが眠る聖地

ホー・チ・ミン廟

Lăng Chủ tịch Hồ Chí Minh

MAP 付録P.17 D-3

1975年9月2日の建国記念日に完成した総大理石造りの霊廟。内部にはホー・チ・ミンの遺体が安置されている。カメラや大きな荷物は入口で預ける必要があり、露出の多い服装では入場できないので注意。

☎024-3845-5128 交文廟から徒歩17分 所17 Phố Ngọc Hà 開7:30～10:30(土・日曜、祝日は～11:00) 11～3月8:00～11:00(土・日曜、祝日は～11:30) 休月・金曜、6～8月に2カ月間のメンテナンス休業あり 料無料

↑蓮の花をかたどった外観。全国から多くの人が訪れる

コミカルな動きがかわいい伝統芸能

ハノイ発祥の水上人形劇を鑑賞

ハノイでぜひ足を運びたいのが水上人形劇。人形たちがベトナムの日常生活や伝説を演じる名物エンタメだ。コミカルな動きで、言葉がわからなくても十分に楽しめる。

人形劇の進行に合わせて伝統楽器の演奏が行われる

人形とは思えない生き生きとした動き。衣装も細部まで作り込まれている

ショーの最後には人形師も舞台裏から出てきてご挨拶

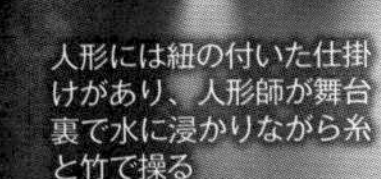

人形には紐の付いた仕掛けがあり、人形師が舞台裏で水に浸かりながら糸と竹で操る

観光客から大人気のエンタメ

タンロン水上人形劇場

Nhà hát Múa Rối Thăng Long

ホアンキエム湖周辺 MAP 付録P.18 C-2

ベトナムの神話や伝説、日常生活などをテーマにした短編が10話ほど続く形で上演され、所要時間は50分ほど。コミカルな人形の動きを見ているだけでも楽しめるが、日本語のパンフレットに目を通しておくと理解しやすい。

交 玉山祠より徒歩1分 所 58B, Đinh Tiên Hoàng, Q. Hoàn Kiếm 開 上映時間は16:10、17:20、18:30、20:00 休 無休 料 1等席20万VND、2等席15万VND、3等席10万VND

↑ホー・チ・ミンが子どもたちのために建てた劇場。夜は美しくライトアップされる

多くの客で賑わう。カウンターで当日券も購入可能

水上人形劇のきほん

もともとは、1000年ほど前にタイビン省の農民たちが収穫祭などで屋外の水辺を使って演じていたものが、11～15世紀に娯楽として広まったといわれている。龍の王と山の女王がもうけた息子たちの子孫がベトナム人になったという伝説や、伝統音楽に合わせた美しい宮廷舞踊、ホアンキエム湖にまつわる伝説、農民や漁師たちの日常生活や喜怒哀楽などをテンポ良く演じる。

非日常に浸る至福のヒーリングタイム

個性が光るエステ&スパ5店

ハノイではエステやスパの贅沢なサービスが日本よりもずっとリーズナブルな料金で受けられる。ゆったりと心も体も癒やしたい。

静ひつな空間で旅の疲れを癒やす

ラ・スパ

La Spa

旧市街 MAP 付録P.18 B-2

落ち着いたトーンの静かな店内でていねいな施術が受けられる。フットケアやホットストーンによる施術が好評。ホテル「ラ・シエスタ」内にあり、宿泊者に人気なので予約するのがおすすめだ。

☎024-3926-3642 交ホアンキエム湖から徒歩5分 所94 Mã Mây, Q.Hoàn Kiếm 営9:00～21:00(20:00LO) 休無休

主なMENU

✲パンパーパッケージ Pamper Package…**118万VND(1時間30分)**

✲クラウド9パッケージ Cloud 9 Package…**118万VND(1時間30分)**

1.10年以上同店で働くベテランセラピストも 2.シンギングボウルのやさしい音でリラックス 3.待合室。明かりを落とした心落ち着く空間 4.小物類からも繊細な気遣いが感じられる

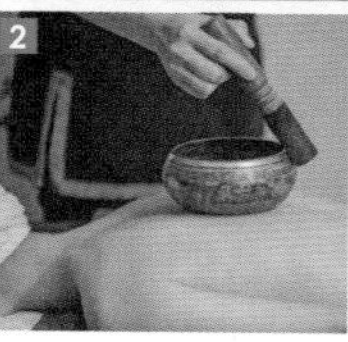

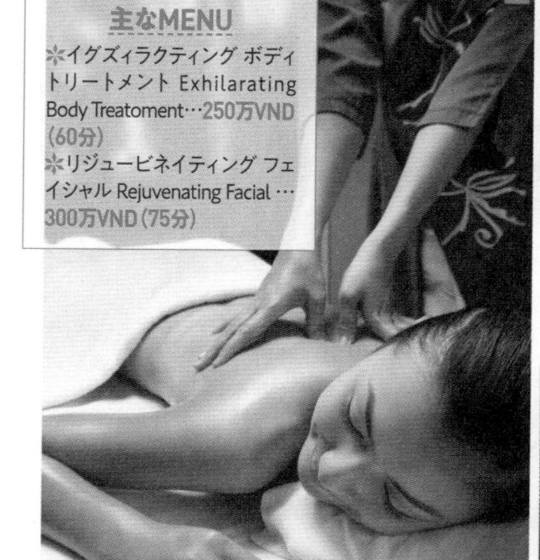

主なMENU

✲イグズィラクティング ボディトリートメント Exhilarating Body Treatoment…**250万VND(60分)**

✲リジュービネイティング フェイシャル Rejuvenating Facial…**300万VND(75分)**

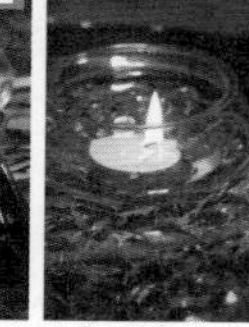

最高峰のテクニックに癒やされる

ル・スパ・ドゥ・メトロポール

Le Spa Du Metropole

大劇場周辺 MAP 付録P.19 E-1

5ツ星ホテル内のスパとあって、その技術や設備はハノイ随一。独自調合のオイルを使ったアロママッサージが中心だが、ベトナムの伝統的なツボ押し療法をベースにしたメニューなども。

☎024-3826-6919 交大劇場から徒歩2分 所15 Phố Ngô Quyền(ソフィテル・レジェンド・メトロポール・ハノイ内) 営10:00～22:00 休無休

1.訓練を受けたセラピストによるレベルの高い施術が評判 2.フランスのブレンダーによる独自配合のアロマオイルを使用 3.心地よい時間が流れる店内 4.インテリアも豪華なシングルルーム 5.中庭を抜けた場所にあるスパ専用の建物

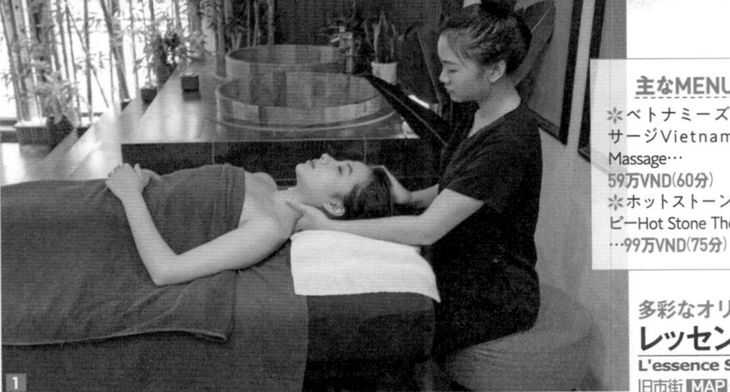

主なMENU

✲ベトナミーズマッサージVietnamese Massage…59万VND(60分)

✲ホットストーンテラピーHot Stone Therapy…99万VND(75分)

多彩なオリジナルの施術を試せる

レッセンス・スパ

L'essence Spa

旧市街 MAP 付録P.18 C-2

ベトナムやタイなど東洋のマッサージや整体技術を広く取り入れた、質の高いマッサージに定評がある。竹を使った施術、オーツミルクのボディスクラブ、ハーブバスなどオリジナルの施術が特別な体験を提供する。

☎097-839-2399 交ホアンキエム湖から徒歩2分
所36 Đinh Liệt, Q.Hoàn Kiếm 営9:00～22:30 休無休

1.ツボを押さえたマッサージが心地よい刺激に2.施術前にアロマウォーターで足を洗い流す3.小さいながらもサウナがあるのもうれしい4.ジャグジーハーブバスに浸かりリラックス

ゆったり空間での施術が心から潤す

アーバン・オアシス・スパ

Urban Oasis Spa

ホアンキエム湖周辺 MAP 付録P.18 C-3

街の中心にありながらくつろげる空間づくりは、まさに「都会のオアシス」。スウェーデンやタイの技法による施術や指圧が、心身のこりをほぐす。カップル用の個室やジャグジー完備のVIPルームもある。

☎024-3354-3333 交ホアンキエム湖から徒歩2分
所39A Hàng Hành, Q.Hoàn Kiếm
営9:00～22:00 休無休

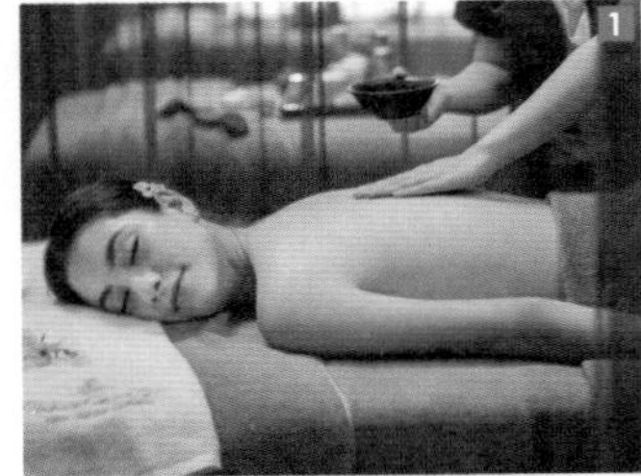

1.体を温めつつ、もみほぐすボディケア2.指先を美しく整え繊細に飾るネイルケア

主なMENU

✲アロママッサージAroma Massage…43万VND(60分)

✲ベーシックフェイシャルケアBasic Facial Care…49万VND(45分)

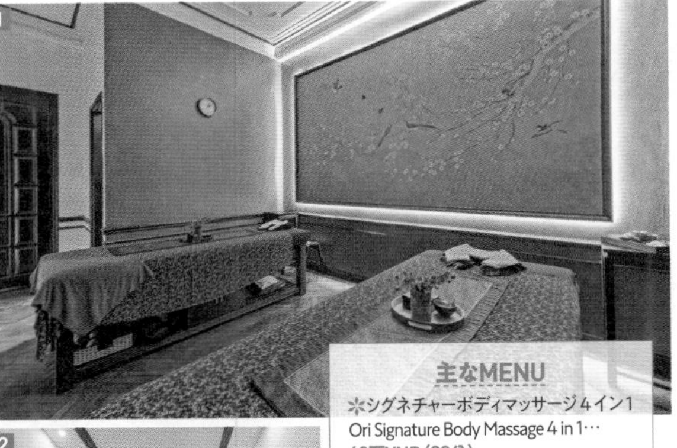

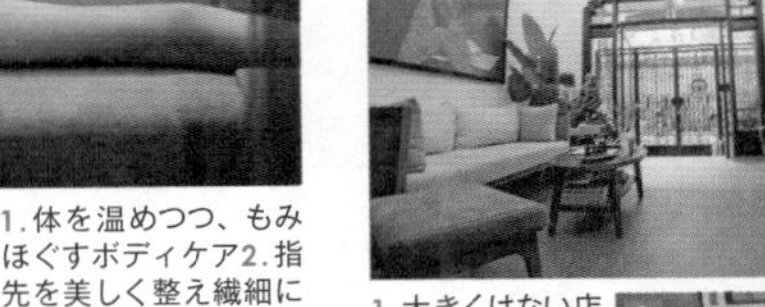

1.大きくはない店舗だが居心地はよい 2.疲れがほぐれるジャグジーもあり3.おもてなしのレベルも高いと評判だ

主なMENU

✲シグネチャーボディマッサージ4イン1 Ori Signature Body Massage 4 in 1…62万VND(90分)

✲ヘッドマッサージHead massage…28万VND(30分)

アクセス良好で気軽に立ち寄れる

オリエント・スパ

Orient Spa

ホアンキエム湖周辺 MAP 付録P.19 D-3

大教会から徒歩約1分という抜群の立地。喧騒から離れた清潔感のある落ち着いた店内で、ゆったりと施術を受けられる。フットマッサージは45分32万VND、アロママッサージは60分39万VNDと手ごろな価格もうれしい。

☎097-790-3499 交ハノイ大教会から徒歩1分所26 Ấu Triệu, Q.Hoàn Kiếm 営10:00～22:00 休無休

ワンランク上のセンスでステイを華やかに

素敵な滞在を叶える ラグジュアリーホテル 4 軒

長い歴史を持つハノイには、由緒ある高級ホテルが多数。サービスの質はもちろん、美しい建築様式や素晴らしい眺望で特別なステイを叶えてくれる。

質の高い建築美・美食を堪能できる

カペラ・ハノイ

Capella Hanoi

ホアンキエム湖周辺 MAP 付録P.19 E-1

有名建築家ビル・ベンスリー氏設計の5ツ星ホテル。細部までこだわったデザインは居るだけで優雅な気分に。ミシュランガイド2024のセレクテッドレストランに輝いた「光輝」も擁する。

☎024-3987-8888 交 ホアンキエム湖から徒歩5分 所 11 Lê Phụng Hiểu, Q.Hoàn Kiếm 料 Ⓢ US$ 150～ Ⓣ US$ 195～ 室数 268室 HP capellahotels.com E

1. 内装は部屋ごとに異なりテーマ性もある
2. オペラハウスに近い好立地なのも魅力
3. 一皿一皿が洗練された日本食店「光輝」の食事
4. 落ち着いた雰囲気ながらもゴージャスな空間
5. デザイン性が高い、優美な室内プール

1.客室内にはゆったりとしたワークスペースあり
2.ハイティービュッフェが人気の「オープン・ドール」
3.ドーム型の天井が印象的なロビー
4.タイ湖のほとりにあり、客室からの眺望は抜群

細やかなサービスの5ツ星ホテル

シェラトン・ハノイ

Sheraton Hanoi Hotel

タイ湖周辺 MAP 付録P.16 B-3

タイ湖の美しい眺望を楽しめる5ツ星ホテル。コロニアル様式とベトナムの伝統様式を組み合わせたおしゃれな内装が特徴だ。総支配人は日本人で、きめ細かなサービスも魅力的。

☎024-3719-9000 交 鎮国寺から車で10分
所 K5 Nghi Tam, 11 Xuân Diệu. Q. Tây Hồ 料 Ⓢ Ⓣ US$150〜 室数 299室
HP marriott.com E

タイ湖の美しい眺望を独り占め

インターコンチネンタル・ハノイ・ウェストレイク

InterContinental Hanoi Westlake

タイ湖周辺 MAP 付録P.16 B-3

タイ湖にせり出して客室棟を配したラグジュアリーホテル。湖が一望できる客室からの眺めは圧巻だ。レストランやバーも併設しており、リゾート気分でゆったりとステイできる。

☎024-6270-8888 交 鎮国寺から車で10分
所 5 Từ Hoa, Qu.Tây Hồ 料 Ⓢ US$ 180〜
Ⓣ US$154〜 室数 318室 HP ihg.com
E

1.多国籍ビュッフェが人気の「カフェ・ド・ラック」2.夕暮れどきが絶景の「サンセット・バー」3.全室バルコニー付きの贅沢なつくり 4.市内にありながらもゆったりとリゾート気分を味わえる

1.季節の花が飾られた開放感のあるロビー 2.クラシカルな客室。リネン類も上質 3.新館のバーレストラン「アンジェリーナ」 4.本館のカフェ「ラ・テラス」。人気の撮影スポットでもある

由緒あるクラシカルな5ツ星ホテル

ソフィテル・レジェンド・メトロポール・ハノイ

Sofitel Legend Metropole Hanoi

大劇場周辺 MAP 付録P.19 E-1

1901年創業、気品あふれる白亜の外観が印象的な歴史あるラグジュアリーホテル。モダンな新館とクラシカルな旧館の2棟からなっており、コロニアル調の内装やインテリアも必見だ。

☎024-3826-6919 交 大劇場から徒歩2分
所 15 Phố Ngô Quyền Q. Hoàn Kiếm
料 Ⓢ Ⓣ US$350〜 室数 358室
HP sofitel.accor.com E

ハノイのトレンドにふれるならここ

個性派ブティックホテル3軒

デザインや内装にこだわったブティックホテル。自宅のようにくつろげる居心地の良さも人気。

個性あふれる人気のホテル

MKプレミア・ブティックホテル

MK Premier Boutique Hotel

旧市街 MAP 付録P.18 B-3

棚田を思わせる外観が特徴。白馬最霊祠の隣に位置しており、旧市街散策にぴったり。伝統のドンホー版画やラタンの家具などがインテリアとして使われている。

☎0243-266-8896 交 大教会から徒歩13分 所 72-74 Hàng Buồm, Q. Hoàn Kiếm 料 Ⓢ Ⓣ US$72～ 室数 65室 HP mkpremier.vn E

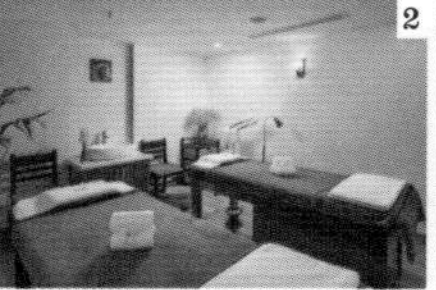

1.旧市街を見下ろせるルーフトップバー 2.スパではタイから輸入したプロダクツを使用 3.2015年オープン。バルコニーデラックスとスイートはバルコニー付き 4.リラックスできるラタン製ベッド

旧市街でのホテル探しならココ

ティラント・ホテル

The Hanoi Tirant Hotel

旧市街 MAP 付録P.18 C-2

旧市街の雰囲気を楽しみながらもお洒落に滞在したい人向き。旅行者向けのレストランやバーなどがある便利なエリアにあり、最上階のバーは360度ビューで人気。

☎024-6265-5999 交 ホアンキエム湖から徒歩3分 所 38 Gia Ngư, Q.Hoàn Kiếm 料 Ⓢ Ⓣ US$100～ 室数 85室 HP tiranthotel.com E

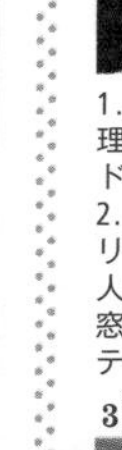

1.天蓋デザインがお洒落なジュニアスイート 2.屋上階にはバーの横にプールも併設 3.伝統とモダンさが融合する落ち着いたロビー

1.モダンベトナム料理を提供する「レッドビーン・マーマイ」 2.「ラ・スパ」はクオリティの高い施術が人気 3.明るく大きな窓が特徴のエグゼクティブルーム

立地にもデザインにも大満足

ラ・シエスタ・クラシック・マーマイ

La Siesta Classic Mã Mây

旧市街 MAP 付録P.18 B-2

フランスのミニホテルのような洗練されたデザインと、ホスピタリティが人気のホテル。みやげ物屋や歴史的観光スポットが並ぶ通りにあり、旧市街の散策にも便利。

☎024-3926-3641 交 大教会から徒歩12分 所 94 Mã Mây, Q. Hoàn Kiếm 料 Ⓢ Ⓣ US$85～ 室数 64室 HP lasiestahotels.vn/mamay/ E

焼物の職人が集まる村へ バッチャン

MAP 付録P.2 B-2

ハノイから🚌で約40分

ハノイ郊外のバッチャン村は、15世紀頃から陶器作りが始まった焼物の里。店を巡りながらゆっくりと散策したい。

街歩きアドバイス

徒歩でまわれる小さな村内には100軒ほどの工房が連なり、ショップではレトロで愛らしい昔ながらのバッチャン焼から、モダンなニューバッチャンまでさまざまな陶器が揃うので、時間をかけてじっくりと散策したい。見学や絵付け体験を行っている工房もある。

ハノイからのアクセス

ロンビエン・バスターミナルからバッチャン行きの47Aのバスで約40分

掘り出し物を見つけるなら

バッチャン陶器市場

Chợ Gốm Làng Cổ Bát Tràng

MAP 付録P.2 B-2

バス発着所の近くにある陶器市場には、大小100軒ほどの店が入店。食器からインテリアまで幅広い陶器が販売されており、じっくりとお気に入りを見つけたい。

交 バッチャン47Aバス発着所より徒歩1分 所 Xóm 4, Bát Tràng 営 8:00〜18:00頃 休 店によって異なる

↓入口には大きな看板がありわかりやすい

→伝統柄からモダンなデザインのものまで揃う

モダンなバッチャン焼が揃う

エルシー・ホーム

LC HOME

MAP 付録P.2 B-2

洗練されたデザインのニューバッチャンを多く取り扱う大型店。商品はすべて併設の自社工房で作っており、価格も手ごろ。この店にしかないオリジナル商品も多数。

☎ 024-3878-8222 交 バッチャン47Aバス発着所から徒歩5分 所 34 thôn 2, Bát Tràng 営 8:00〜16:30 休 無休

↑明るい店内。利用シーンを想定した陳列も見やすい

←食卓が華やぐオレンジ色の角皿15万VND

→梅の花が描かれた容器15万VND。ふた付きで便利

↑自社工場で成形から焼成までを一貫して行う。絵はすべて手描き

→色とりどりの水滴模様がかわいらしいコップ10万VND

→珍しいフォルムが目を引く。魚柄の皿15万VND

村に現存する唯一の登り窯

妊婦釜

Lò Bầu Cổ

MAP 付録P.2 B-2

大量に陶器を焼成できるように斜面を利用して造られた窯。現在は使用されていない。妊婦のお腹のように見えることから妊婦窯とも呼ばれている。

☎ 097-923-6326 交 バッチャン47Aバス発着所から徒歩5分 所 Xóm 3, Bát Tràng 営 8:00〜17:00 休 無休

↓敷地内にはバッチャン焼を販売するショップも併設

↓約40年ほど前までは村内で20基以上が使われていたそう

↓隣にはカフェも。散策中のひと休みにぴったり

HISTORY OF VIETNAM

先史時代から現代まで、変遷を続ける国の物語
再生を繰り返すベトナムの歴史

ホン川沿いに最初の国家が誕生
先史時代のベトナム

ベトナム北部に人類が住み始めたのは、約50万年前といわれる。最古の石器は30万年前のものが出土し、原始的な農業は早くも紀元前1万年～5000年前に始まったといわれている。紀元前5世紀頃には高度な青銅器技術を持ったドンソン文化が起こったという。同じ頃、歴史上最初の国家文朗（ヴァンラン）国がホン川沿いに興り、紀元前257年にアンズオンヴォン（安陽王）に滅ぼされ、ハノイ近郊のコーロアに甌駱（アウラック）国が開かれた。

たび重なる侵略と抵抗の時代
中国支配の時代

甌駱国は紀元前208年に中国の南越国に征服される。さらに南越国を滅ぼした中国の統一王朝・漢が紀元前111年、ベトナムを支配下に置いた。これ以降約1000年もの間、中国支配の時代が続くことになる。

圧政を敷く中国に対し反乱が繰り返されるが、いずれも鎮圧されてしまう。しかし10世紀初めに唐が滅び、この機にゴ・グエン（呉権）が中国軍を撃破。938年に長い中国支配から解放されたが、今度は内紛の時代へと突入する。短命政権が続きながらも中国からの侵攻に耐え、1009年に現在のハノイにあたるタンロン（昇龍）を都に定めた李朝が興る。

200年続いた李朝時代は、ベトナム史上最初の長期政権となった。この間、科挙制度をはじめ中国からさまざまな制度や技術、さらに儒教、道教、仏教などの宗教、文化・芸術を取り入れて国内を発展させ、南洋交易でも繁栄を誇った。1225年にはチャン（陳）一族に政権を譲り、陳朝へと移行。ベトナム固有の文字チュノムが普及し文学が発展、仏教も隆盛を極めた。同時に、3度の元の襲来を退けるも、たび重なる戦いと飢饉により国力が落ち1400年にホークイリ（胡季犛）に滅ぼされる。

胡朝時代となるが、陳朝の支持者と対立。こうした混乱のさなか再び明の侵攻を受け、胡朝はあっけなく明の支配下に置かれる。しかしラムソン（藍山）の豪族であったレロイ（黎利）が独立のために蜂起し、10年に及ぶ抵抗運動の末、1428年に独立。皇帝に即位して民族的な英雄、黎太祖（レタイトー）となって後黎朝を開いた。レロイは明との関係回復を図り、中国から農業技術を取り入れて農業を推進。また同時代に中部で一大勢力を誇っていたチャンパ王国の首都ヴィシャヤを陥落し、実質的なベトナム統一を果たす。

独自の文化を築いた海洋国家
チャンパ王国の繁栄

紀元2世紀末～17世紀にかけ、ベトナム中部から南部一帯で栄えたチャンパ王国と呼ばれるチャム族の国があった。東西交易の拠点として繁栄し、「獅子の都」と呼ばれたチャキエウに最初の首都を置いた。交易を通じてインドの宗教と文化の影響を強く受け、高度な芸術様式を用いた寺院などを数多く建立。今も聖地ミーソンなどで見ることができる。

982年にチャンパ王国は前黎朝に討たれ、実質的な支配下に置かれるが、11世紀にはヴィジャヤに遷都。13世紀に元がベトナムに襲来した際には陳朝と協力して撃破したものの、のちに関係が悪化、陳朝の首都タンロンを破壊した。しかし1470年に後黎朝によって首都ヴィジャヤは陥落。一地方勢力となったが、17世紀頃には領地のすべてを失い、名実ともに滅亡した。

ホイアン郊外の山中に築かれた聖地ミーソンには、王国の栄華を伝える建築や彫刻が残る ▶P.99

中国支配期

- 前800頃　ドンソン文化が起こる
- 前208　中国の南越国が北部を征服
- 前198　南部にチャンパ王国が成立
- 前111　漢が南越国を滅ぼし、ベトナムを支配下に置く

王朝連立期

- 938　唐の滅亡に乗じ、ゴ・グエンが呉朝を立てる
- 1009　タンロン（現在のハノイ）を首都とする李朝が成立
- 1225　陳朝が起こる
- 1257～　3度にわたり元の襲撃を受ける
- 1400　ホークイリが陳朝を滅ぼし、胡朝を立てる
- 1407　明の侵攻を受け、支配下に置かれる
- 1428　レロイの蜂起により明から独立、後黎朝を立てる
- 1471　後黎朝によりチャンパ王国の首都ヴィジャヤが陥落、ベトナム統一

ベトナムの歴史は、隣国や大国の侵略と支配とのたび重なる戦いとともに歩んだ歴史である。苦難の末に平和を取り戻したベトナムの歩みを知り、その豊かな交易の歴史や多様な文化にふれながら、旅をいっそう楽しみたい。

世界史に「ベトナム」が誕生

南北分裂と阮朝の発生

レタイトー(黎太祖)以降の後黎朝は権力抗争が絶えず、1527年には権臣のマクダンズン(莫登庸)が後黎朝を倒して莫朝を開いた。これに後黎朝の旧臣であったグエン(阮)氏とチン(鄭)氏が対抗、後裔を擁立して独立政権を樹立した。ところが、グエン氏とチン氏も対立。こうしてフエのグエン氏とハノイのチン氏が対立する、南北抗争の時代が200年も続くことになる。

グエン氏は南部のメコンデルタまでを掌握するが、1771年にその圧政に抵抗した農民たちによるタイソン(西山)の乱が勃発し南北の両氏が滅びる。この時シャム(現タイ)に亡命していたフエのグエン氏の生き残り、グエン・フクアイン(阮福映)がフランスの援助を受け、1801年に旧都フエを奪回。1802年にはハノイも陥落、グエン(阮)朝の皇帝となり、フエを首都とする統一国家ベトナム(越南)が誕生した。

⊖北京の紫禁城をモデルにしたといわれる黄色い瓦屋根が美しい、フエのグエン朝王宮

▶P.120

100年にわたるフランスの占領

フランスの侵略

グエン王朝のミンマン(明命)帝の時代になるとキリスト教を禁止して西洋諸国を排除、儒教国家への強化を始めた。このことがフランス軍の侵攻を招き、1858年にダナンの占拠を皮切りにフランスは次々とベトナム全土やメコン・デルタを占領、1887年にはベトナム、カンボジア、ラオス3国のフランス領インドシナ連邦が成立することになる。

フランスによる強い搾取や同化政策が行われ、国内では排仏運動と独立の気運が高まる。1941年以降、フランスと日本による二重支配を受けるようになると、ベトナム独立の父と呼ばれるホー・チ・ミンがベトミン(ベトナム独立同盟)を結成。日本の敗戦を機に一気に運動が激化するものの、フランスによる占領は1954年、第一次インドシナ戦争のディエンビエンフーでフランス軍が敗退するまで続いた。

⊖ハノイにある世界遺産のタンロン遺跡。城はフランス軍の兵営建設のために失われた

▶P.152

長く苦しい戦いの果てに

2つの戦争後に南北統一

第一次インドシナ戦争でソ連と中国の後ろ盾を得たベトミンは、1954年、ついにフランス軍を撃破。しかし7月に締結されたジュネーブ協定により、ベトナムは北緯17度線を軍事境界線として南北に分断されてしまう。

インドシナへの共産主義の拡大を恐れたアメリカは、ベトナムへ軍事介入し、1955年には南ベトナムにアメリカを後ろ盾としたベトナム共和国が成立。対して北には社会主義体制を敷くベトナム民主共和国が成立した。

1960年、南ベトナムのファシズム的な政策に対して、農民や労働者による南ベトナム解放民族戦線が誕生。政府とアメリカに宣戦布告してベトナム戦争へと突入した。近代兵器のアメリカに対して、ゲリラ戦で挑んだ解放戦線との激烈な戦いは長期化し、アメリカ経済の疲弊と世界的な批判の高まりを受け、1968年に北爆を停止、翌年には撤退を始めた。アメリカの後ろ盾をなくした南ベトナムは1975年4月、サイゴンが陥落してベトナム戦争は終結した。共産党が実権を握り、1976年7月、ベトナム社会主義共和国が誕生。多くの犠牲を払った長い戦いの末に、悲願の統一を果たしたのだった。

南北分裂期	1771	タイソンの乱
グエン朝期	1802	グエン・フクアインにより、フエを首都とするグエン朝が成立
	1858	フランス軍の侵攻でダナン占拠
フランス統治期	1887	フランス領インドシナ連邦が成立、フランスの支配下に置かれる
	1939	第二次世界大戦勃発
	1940〜	日本軍による2度の仏印(フランス領インドシナ)進駐
	1941	ホー・チ・ミンがベトミン(ベトナム独立同盟)を結成
	1945	第二次世界大戦終結
	1945	ベトナム民主共和国の独立を宣言
	1946〜	第一次インドシナ戦争
	1949	フランスによりベトナム国樹立
南北分断期	1954	ジュネーブ協定締結。北緯17度線を境に北ベトナム(ベトナム民主共和国)と南ベトナム(ベトナム国)に分断
	1960	南ベトナム解放民族戦線が誕生
	1964〜	アメリカ軍による北爆が開始
	1972	パリ和平協定締結。アメリカ軍撤退
	1975	サイゴン陥落、ベトナム戦争終結
統一期	1976	ベトナム社会主義共和国が誕生

解放戦線を支えた難攻不落の地下トンネル
クチでベトナム戦争の記憶にふれる

ベトナム戦争当時、「鉄の三角地帯」と呼ばれ、難攻不落の地であったクチ。解放戦線の拠点となった地下トンネルが今も残されている。

MAP 付録P.3 E-2

激戦と勝利への執念を物語るベトナム戦争跡公園

ホーチミン市の北西約70kmにあるクチは、ベトナム戦争当時、南ベトナム解放民族戦線が首都攻略のための拠点とした街。総距離250kmにも及ぶトンネル網を掘ってゲリラ戦を続け、米軍の空爆や枯葉剤の散布にも陥落しなかったことで知られる。トンネルの一部や兵器、生活の場などを公開し、当時の激戦と抵抗の様子を伝えている。

© Philippe Halle / 123RF.COM

↑米軍の不発弾で爆弾を作る様子などを再現

クチへのアクセス

ホーチミンから

クチのバスターミナルまではバスで約1時間30分。バスを乗り換えクチトンネルまで約40分。クチトンネルまでの直通のバスはないので、ホーチミン発のツアーの利用が便利

おすすめツアー

●カオダイ教&クチトンネル1日ツアー

所要時間 8時間 料 US$75～

① ホーチミンを出発しトンネルへ
ビデオ上映室で、解放戦線の戦いや生活を描いた約10分の記録映画を鑑賞。

② 施設を見学
３層構造になったトンネル内の会議室や司令室、台所や寝室などが残されている。爆弾を製造する様子も再現されるほか、戦車などの兵器も見学できる。

③ タイニンで観光を楽しむ
ベトナム生まれの新興宗教、カオダイ教の本部があるタイニン。極彩色の壮麗な寺院や独特の街の風景が見られる。

ツアー催行会社 TNKトラベル(ホーチミン本店) DATA➡P.31

●クチトンネル半日ツアー

所要時間 5時間30分 料 US$35～
ビデオ上映とトンネル内の見学、周辺施設などを見学する半日コース。

ツアー催行会社 TNKトラベル(ホーチミン本店) DATA➡P.31

●クチ地下トンネル半日観光

所要時間 約4時間30分 料 US$45～
ビデオ鑑賞、地下トンネル見学、タピオカ芋の試食などが体験できる。昼食付きは$55～。

ツアー予約先 HIS 海外オプショナルツアー予約 HP activities.his-j.com

TRAVEL INFORMATION

旅の基本情報

旅の準備

パスポート(旅券)

旅行の予定が決まったら、まずはパスポートを取得。各都道府県、または市区町村のパスポート申請窓口で取得の申請をする。すでに取得している場合も、有効期限をチェック。ベトナム入国時点で有効残存期間が6カ月以上であることが必要。

ビザ(査証)

観光目的の場合、45日以内の滞在であればビザは不要。ただしベトナム入国の時点でパスポートの有効期間が6カ月以上あり、かつ、ベトナムの法令の規定により入国禁止措置の対象となっていないことが条件。出国用の航空券(eチケット)も必要となる。

海外旅行保険

海外で病気や事故に遭うと、思わぬ費用がかかってしまうもの。携行品の破損なども補償されるため、必ず加入しておきたい。保険会社や旅行会社の窓口やインターネットで加入できるほか、簡易なものであれば日本出国直前でも空港にある自動販売機でも加入できる。クレジットカードに付帯しているものもあるので、補償範囲を確認しておきたい。

日本からベトナムへの電話のかけ方

010 → 84 → 相手の電話番号

010: 国際電話の識別番号
84: ベトナムの国番号
相手の電話番号: 最初の0をとってから

荷物チェックリスト

◎	パスポート	
◎	パスポートのコピー (パスポートと別の場所に保管)	
◎	現金	
◎	クレジットカード	
◎	航空券	
◎	ホテルの予約確認書	
◎	海外旅行保険証	
◎	ガイドブック	
	洗面用具(歯磨き・歯ブラシ)	
	常備薬・虫除け	
	化粧品・日焼け止め	
	着替え用の衣類・下着	
	冷房対策用の上着	
	雨具・折り畳み傘	
	帽子・日傘	
	サングラス	
	変換プラグ	
	携帯電話・スマートフォン/充電器	
	デジタルカメラ/充電器/電池	
	メモリーカード	
	ウェットティッシュ	
△	スリッパ	
△	アイマスク・耳栓	
△	エア枕	
△	筆記具	

◎必要なもの　△機内で便利なもの

入国・出国はあわてずスマートに手続きしたい!

空港であわてないように、出入国の流れやベトナム到着後に空港でしておきたいことを、事前に確認しておこう。

ベトナム入国

① 入国審査

到着したら案内版に従ってイミグレーションカウンターへ。日本人は「All Passport」と書かれたカウンターに並ぶ。パスポートと帰国用の航空券(eチケット)を提出し、スタンプを押してもらう。帰国用の航空券がないと入国できない場合もあるので注意。

② 預けた荷物の受け取り

入国審査後、電光掲示板で便名と荷物の受取場所を確認する。搭乗便名のサインがあるターンテーブルで、自分の荷物を受け取る。日本でのチェックインの際に受け取ったバゲージクレーム・タグと荷物のタグを照合して、自分の荷物かを確認しよう。

③ 税関手続き

課税対象となるものを持っている場合は赤のゲート、申告の必要がない場合は緑のゲートへ進む。申告すものがある場合は「入出国カード兼税関・検疫申告書」に記入して提出する。空港出口でバゲージクレーム・タグの提示を求められることがあるので、空港を出るまでは保管しておこう。

ベトナム入国時の主な免税範囲

アルコール類	度数22度以上のものは1.5ℓ、21度以下のものは2ℓ、その他ビールなどのアルコール飲料3ℓ
たばこ	紙巻200本、葉巻20本、刻みたばこ250g
現金	US$5000相当の外貨、または1500万VND以内
そのほか	ビデオカメラ、パソコン など、総額が1000万VND相当を超えないこと

※アルコール類、たばこは18歳以上のみ

ベトナム入国時に持ち込みが禁止されているもの

銃、爆発物、麻薬、骨董品、ベトナム人のモラルに悪影響を及ぼすおそれのある出版物、写真等

出発前に確認しておきたい!

Webチェックイン

搭乗手続きや座席指定を事前にWebで終わらせておくことで、空港で荷物を預けるだけで済み大幅に時間を短縮することができる。一般的に出発時刻の24時間前からチェックインが可能。パッケージツアーでも利用できるが、一部対象外となるものもあるため、その際は空港カウンターでの手続きとなる。

飛行機機内への持ち込み制限

◉**液体物**　100mℓ(3.4oz)を超える容器に入った液体物はすべて持ち込めない。100mℓ以下の容器に小分けにしたうえで、容量1ℓ以下のジッパー付きの透明なプラスチック製袋に入れる。免税店で購入したものについては100mℓを超えても持ち込み可能だが、乗り継ぎの際に没収されることがある。

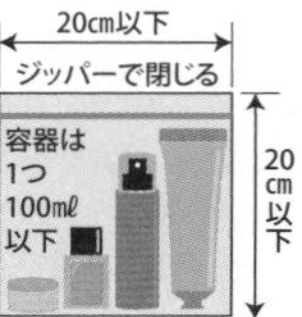

◉**刃物**　ナイフやカッターなど刃物は、形や大きさを問わずすべて持ち込むことができない。
◉**電池・バッテリー**　100Whを超え160Wh以下のリチウムを含む電池は2個まで。100Wh以下や本体内蔵のものは制限はない。160Whを超えるものは持ち込み不可。
◉**ライター**　小型かつ携帯型のものを1個まで。

荷物の重量制限

預入荷物の制限は航空会社によって異なるが、エコノミークラスの場合おおよそ20～23kg以下、3辺の合計158～203cm以下、 個数は2個まで。超過料金を避けるため、事前に確認を。

他人の荷物は預からない!

知人や空港で会った人物に頼まれ荷物を預かったり、勝手に荷物に入れられたりして、知らないうちに麻薬を運ばされるなど、トラブルに巻き込まれる事例が発生している。自分の荷物は厳重に管理しよう。

ベトナム出国

① 空港へ向かう

空港には余裕をもって到着を。チェックインがまだであれば2時間前、Webチェックインを済ませていても1時間前には着いておきたい。

② チェックイン

チェックインがまだであれば、カウンターでパスポートと搭乗券(eチケット控え)を提示。預ける荷物をセキュリティチェックに通し、バゲージクレーム・タグを受け取る。免税を申請するものがあれば、それまでに手続きを行うか、機内持ち込みにする。

③ 出国審査

「All Passport」と書かれたカウンターに並び、パスポートと搭乗券を審査官に提示する。

④ 手荷物検査・税関

保安検査所で手荷物のセキュリティチェックを受ける。下記の免税範囲を超えているものを持ち帰る場合は税関で申告が必要。なお、骨董品の持ち出しは禁止となっているので、購入は控えよう。また、ヌクマムなど匂いの強い液体は、小さい物でも機内への持ち込みが禁止されているので注意。

⑤ 搭乗

出発時刻の30分前までには搭乗ゲートに向かおう。待合所周辺にはレストランやおみやげショップなどもあるので待ち時間に活用したい。

ベトナムドンは使い切ってしまう

ベトナムドンから日本円に再両替すると、レートや手数料の関係で損をしてしまうのでなるべく現地で使い切ってしまいたい。もし余ってしまったら、日本の空港や駅に設置されている「Pocket Change」を利用するのもおすすめ。外貨を投入すると電子マネーやギフトコードに交換できるサービスで、手数料不要。ただし2024年7月現在、ベトナムドンは1万VND以上の紙幣のみが利用可能。

HP www.pocket-change.jp/ja

スムーズに免税手続きをしたい!

付加価値税(VAT)

ベトナムでは商品の価格に付加価値税(VAT)が含まれている。滞在中に購入した商品を未使用のまま国外へと持ち出す場合、払い戻しが受けられる。商品購入の際にパスポートを提示して簡単な手続きがあるので覚えておきたい。

払い戻しの条件

ベトナム以外のパスポート保持者が同じ日に同じ店で200万VNDを超える買い物をし、なおかつ免税書類が出国から30日以内に作成されている必要がある。確認カウンターで商品を提示できる状態でなければならないので荷造りの際に注意が必要。

払い戻し方法

◉**お店**　税金払い戻し取扱店舗で支払いの際にパスポートを提示、免税書類(付加価値税申告書兼領収書)の作成をしてもらう。書類は出国まで大切に保管する。

◉**空港**　免税書類と領収書、パスポート、航空券、未使用の購入品を用意して、付加価値税還付カウンターで手続きをする。還付金はベトナムドンの現金で受け取る。付加価値税還付カウンターがあるのは、ホーチミンのタンソンニャット国際空港やハノイのノイバイ空港、ダナン国際空港など。

日本帰国時の主な免税範囲

アルコール類	1本760mℓ程度のものを3本
たばこ	紙巻きたばこ200本、葉巻きたばこ50本、その他250g、加熱式たばこ個装等10個のいずれか
香水	2oz(オーデコロン、オードトワレは含まない)
その他物品	海外市価1万円以下のもの。1万円を超えるものは合計20万円まで

※アルコール類、たばこは20歳以上のみ

日本への主な持ち込み禁止・制限品

持ち込み禁止品	麻薬類、覚醒剤、向精神薬など
	拳銃などの鉄砲、弾薬など
	ポルノ書籍やDVDなどわいせつ物
	偽ブランド商品や違法コピーDVDなど知的財産権を侵害するもの
	家畜伝染病予防法、植物防疫法で定められた動植物と、それを原料とする製品
持ち込み制限品	ハム、ソーセージ、10kgを超える乳製品など検疫が必要なもの
	ワシントン国際条約の対象となる動植物と、それを原料とする製品
	猟銃、空気銃、刀剣など
	医療品、化粧品など

直行便は、ホーチミン、ハノイ、ダナンに到着

日本からの直行便があるのは、ホーチミン、ハノイ、ダナンの3都市。それぞれの空港の特徴を見ていこう。

タンソンニャット国際空港

Tan Son Nhat International Airport

南部の玄関口となる、市内中心部から北西約8kmにある空港。こぢんまりとしているが、カフェやレストラン、ショップなどが充実しており出国ロビーには免税店やマッサージ店もある。市内中心部までは車で約30分とアクセスも良い。主な交通手段はタクシーやバスで、速さ重視ならタクシー、安さ重視なら路線バスがおすすめ。 MAP 付録P.4 A-1

空港ターミナル

空港は国内線と国際線でターミナルが分かれている。国際線が発着するターミナル2は4階建ての建物で、2階が入国フロア、3階が出国フロアとなっている。 国内線に乗り継ぐ場合は入国の手続きを済ませて隣接する国内線ターミナル(ターミナル1)へ移動する。1階到着ロビーの出口を出て左に進むと、徒歩10分ほどで到着する。

↑ベトナムの主要な玄関口とあって、ハイシーズンはとても混雑する。帰国の際には時間に余裕をもって到着しておきたい

ノイバイ国際空港

Noi Bai International Airport

ハノイ都心部から北に約45kmの場所に位置する、ベトナム北部の玄関口となる空港。2015年にオープンした国際線専用のターミナル2は設備も新しく快適に過ごせる。中心部までの移動時間は30～40分ほど。主な交通手段はタクシーのほか、料金の安い路線バスやタクシー会社や航空会社が運営するミニバスなどがある。 MAP 付録P.2 B-2

空港ターミナル

空港は国内線を中心としたターミナル1と国際線専用のターミナル2に分かれており、日本からの航空便はターミナル2発着となる。ターミナル2は2階が入国フロア、3階が出国フロア、4階がレストランやおみやげショップとなっている。 国内線に乗り継ぐ場合は国内線ターミナル(ターミナル1)へ無料のシャトルバスを利用して移動する。

↑空港内はシンプルな構造なので迷うことなくスムーズに動ける。両替所もあるので最小限の現金を用意して市内へ

ダナン国際空港

Da Nang International Airport

ダナンやホイアン、フエなどを有するベトナム中部の玄関口。ダナン中心部から北方約3kmの位置にある。2017年にリニューアルしたばかりで快適なつくりとなっている。国内線が発着するターミナル1と、国際線が発着するターミナル2が隣接しており、ターミナル間は徒歩で移動できる。中心部へはタクシーで10分ほど。 MAP 付録P.12 A-3

空港ターミナル

ターミナル2は4階建てで、2階が入国フロア、3階が出国フロアとなっている。国内線に乗り継ぐ場合は到着ロビーを出て右に進むとターミナル1が見えてくる。

ベトナムの主要空港

日本からの直行便はないが、乗り継ぎ便や他都市へ向かう際に利用するその他の空港についても、ロケーションやアクセスなどを事前に把握しておこう。

◉フバイ国際空港(フエ) ➲付録P.20

フエ郊外にある空港。中心部へはエアポートバスが運行。所要約30分。

◉フーコック国際空港(フーコック島) ➲付録P.20

ホーチミンやハノイなどからの国内線のほか、国際線も数便就航。中心部へはタクシーで約10～15分。

◉カムラン国際空港(ニャチャン)

人気リゾート、ニャチャンの玄関口となる空港。市内まではタクシーで約40分。

◉カントー国際空港(カントー)

カントー中心部から北西約10kmの場所にある空港。ホーチミンからは空路よりバスでの移動が主流。

◉リエンクオン国際空港(ダラット)

ダラット近郊のドゥクチョン県にある空港。市内まではタクシーのほか、乗り合いバスも運行している。

空港からホテルへはスムーズにアクセスしたい！

ホーチミン、ハノイ、ダナンそれぞれの空港から市内へ。複数のアクセス手段があるので事前に確認しておこう。

タンソンニャット国際空港から中心部へ

市内への交通手段は主にタクシーか路線バス。タクシーなら数十分で中心部にアクセスできる。

タクシー

所要	30分〜
料金	18万VND〜

到着ロビーを出ると左手に、市内中心部へ向かうタクシーの列があるので、係員の誘導に従ってタクシーに乗りこもう。ホテルなどの目的地をあらかじめ係員に伝えておくとスムーズ。料金は中心部まで18万〜20万VND程度で、空港入場料1万VNDが追加される。

路線バス

所要	45〜60分
料金	1万5000VND〜

空港から中心部までは複数の路線が走っている。到着ロビーを出るとすぐにバス乗り場が見えてくるので、路線を確認して乗り込もう。152番のバスは料金は安いが地元の人で混み合うので、109番のバスがおすすめ。デタム通り周辺まで約45分、1万5000〜2万VND。

タンソンニャット国際空港→市内中心部 アクセスマップ

ノイバイ国際空港から中心部へ

タクシーや路線バスのほか、航空会社が運営するミニバスが主な交通手段。バスの場合かなり時間がかかるので注意。

タクシー

所要	40分〜
料金	35万VND〜

到着ロビーを出るとタクシー乗り場がある。複数のタクシー会社があるが、緑色の車体のマイリンタクシーなどが比較的安心して利用できる。料金は旧市街まで35万〜45万VND程度で、空港入場料1万VNDが追加される。

路線バス

所要	1時間〜
料金	3万5000VND〜

路線バスの乗り場は空港入口から200mほど歩いた場所にある。中心部までを結ぶ路線は複数あるが、旅行者には86番バスが便利。タイ湖や旧市街周辺を経由し、ハノイ駅が終点となる。料金は4万5000VND。

ミニバス

所要	1時間〜
料金	4万VND〜

航空会社が運行するミニバスで、乗り場は国内線ターミナルの前。乗り合いバスであるため席が埋まるまでは発車しない。到着場所は会社によって異なるので事前に確認しよう。料金は4万VNDで、乗車後に車内で支払う。

ダナン国際空港から中心部へ

ダナン国際空港からダナン中心部までは車で10分程度。直接ホイアンまで向かう場合は車で1時間ほどかかる。

タクシー

所要	10分〜
料金	12万VND〜

到着ロビーを出てすぐにタクシー乗り場がある。係員がタクシーを手配してくれるが、タクシー会社の希望があれば伝えてもOK。市内中心部までは約10分、ビーチ周辺までは15分で到着する。

ホイアンへのシャトルバス

所要	1時間15分〜
料金	US$6〜

空港からホイアン市内までは乗り合いのシャトルバス「ホイアン・エクスプレス」が運行しており、料金は公式サイト（https://hoianexpress.com.vn/）から予約するとUS$6〜、所要時間は1時間15分〜。旅行会社などを経由しても予約できる。

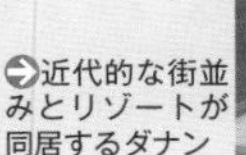

➲近代的な街並みとリゾートが同居するダナン

ベトナムのお金のことを知っておきたい！

事前に大まかな支出を算出して、現金払いか、カード払いか想定しておけば適切な両替額もわかりやすくなる。

通貨

現地通貨はベトナムドン（VND）。ホテルやデパートなどではUSドルが使える場所もある。

1万VND ＝ 約62円

（2024年7月現在）

1000円 ＝ 約16万VND

紙幣は100〜50万VNDまで12種類あるが、広く流通しているのは1000VND以上。硬貨は200〜5000VNDの5種類あるが、ほぼ流通していない。おおよその日本円に換算する際は「0を2つ取って2で割る」と覚えておくと便利。

紙幣

500VND

1000VND

2000VND

5000VND

1万VND

2万VND

5万VND

10万VND

20万VND

50万VND

「000」を省略する

桁数の多いベトナムドンは、0を3つ省略して表示されることがある。特にレストランやカフェのメニュー、ショップの値段表記などで多くみられるので注意しよう。また、「000」を「k」と表すことも。「200k」なら20万VNDの意味。

クレジットカード

ホーチミンやハノイ、ダナンなどの大都市では、屋台や食堂などを除けば多くの場所でクレジットカードが利用できる。多額の現金を持ち歩くのは危険なので、うまく組み合わせて利用したい。現地での取り扱いが多いのはVISAかMasterCardなので、どちらか1枚は持っておくといい。

クレジットカードでキャッシング

キャッシングによる現地通貨の引き出しは、利息が発生するが、帰国後すぐに繰上返済すれば、現金での両替よりもレートが有利なこともある。事前にキャッシングの可否やPIN（暗証番号）の確認を忘れずに。

ATMで現地通貨を引き出す

プラスPlusやシーラスCirrusなどの提携ATMネットワークを利用し、自分の銀行口座から現地通貨を引き出すことができる。提携ATMネットワークの種類は利用銀行によって異なるので事前に確認を。また、3〜4%の手数料のほか、引き出し手数料が必要になる場合もあるので注意。

海外トラベルプリペイドカード

プリペイドカードを利用してATMで現地通貨を引き出すのも便利。事前に入金しておいた分しか引き出せないので、ついつい使いすぎる心配がなく、盗難・紛失に遭った際のリスクもクレジットカードに比べて少ない。

両替

どこで両替をすればいい？

日本では換金場所が限られるうえレートも悪いので、現地での両替が基本。大金を持ち歩くのは危険なので、まずは空港で最低限の金額を両替し、足りなくなったら街なかの両替所やATMを利用するとよい。基本的にはカード払いするほうがポイントなどを考慮するとお得で安全性も高い。

レート表の見方

日本円からの両替はBUYING

CURRENCY（通貨）	UNIT	SELLING	BUYING
JAPANESE YEN	100	25500	25000
US DOLLAR	1	20000	19500

UNIT：日本円は100円に対するレート

SELLING：ベトナムドンを日本円に両替するときのレート

BUYING：日本円をベトナムドンに両替するときのレート。この場合、1万円が約250万VNDの換算

※数値は実際のレートとは異なります

ATMの使い方

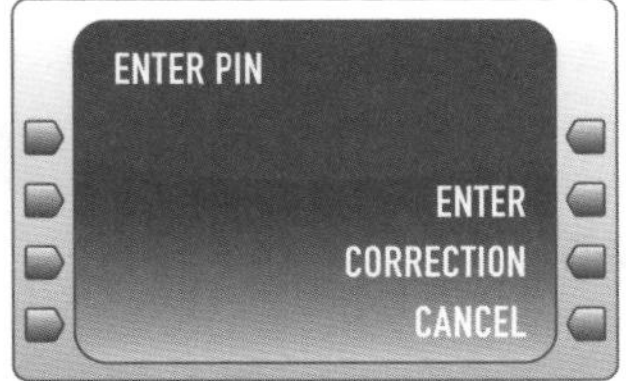

入力
訂正
キャンセル

暗証番号を入力 ENTER PIN
ENTER PIN（暗証番号を入力）と表示されたら、クレジットカードの4ケタの暗証番号を入力し、最後にENTER（入力）を押す

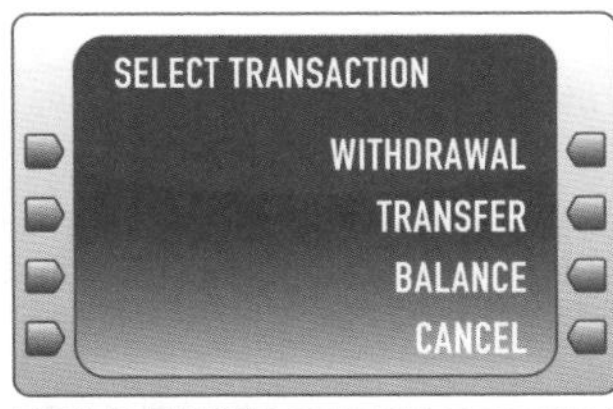

引き出し
振り込み
残高照会
キャンセル

取引内容を選択 SELECT TRANSACTION
クレジットカードでのキャッシングも、国際キャッシュカードやデビットカード、トラベルプリペイドカードで引き出すときもWITHDRAWAL（引き出し）を選択

取引口座を選択 SELECT SOURCE ACCOUNT
クレジットカードでキャッシングする場合はCREDIT（クレジットカード）、トラベルプリペイドカードなどで預金を引き出す場合はSAVINGS（預金）を選択。

SELECT AMOUNT
10 100
20 200
50 500
OTHER CANCEL

金額を選択 SELECT AMOUNT
引き出したい現地通貨の金額を選ぶ。決められた金額以外の場合はOTHER（その他）を選ぶ。現金と明細書、カードを受け取る。

物価

ベトナムの物価は日本より比較的安い。特に食事代は高級店でなければ日本より格段に安く、タクシーの料金もお手ごろ。街なかのマッサージもリーズナブルに受けられる。

バス片道料金
7000VND～（約43円）

タクシー初乗り
6000～1万5000VND（約37～93円）

ミネラルウォーター（500㎖）
5000VND～（約31円）

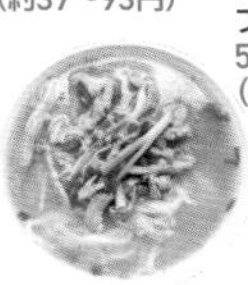
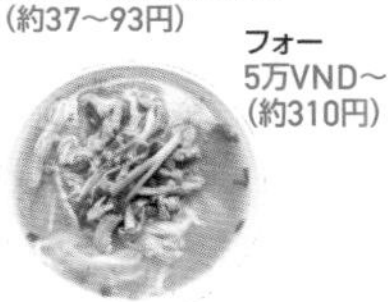
フォー
5万VND～（約310円）

マッサージ
25万VND～（約1550円）

レストランのディナー
50万VND～（約3100円）

予算の目安

観光客向けの店と地元客向けのローカルな店では料金設定がかなり異なる。上手に利用して楽しみたい。

宿泊費 ラグジュアリーなホテルは2万～5万円、エコノミーホテルなら数千円ほどから泊まれる。大都市ではおしゃれでコスパの良いホテルも急増中。

食費 朝食やランチはローカルな店や屋台、夜はカジュアルなレストランという組み合わせであれば、1日60万VND（約3000円）程度で満喫できる。

交通費 どの交通機関も比較的安く、タクシーの場合市内の短距離移動なら数百円程度で済んでしまう。シクロは料金トラブルなどが多いので注意が必要。

チップ

ベトナムではチップの習慣がないため、特に意識する必要はない。高級なレストランやスパ、ホテルでは、料金にあらかじめサービス料が加算されていることが多い。特別なリクエストをした場合のみ、2万VND程度のチップを渡せばOK。サービス料を料金に含まないローカルなマッサージ店などでは、5万～10万VNDほど渡してもよい。

金額の目安

空港やホテルのポーター	2万VND程度
エステ・マッサージ	5万～10万VND程度
高級レストラン	基本的に飲食代に含まれていることが多い

滞在中に知っておきたいベトナムのあれこれ！

文化や習慣、マナーの違いを把握しておけば、旅行中快適に過ごせる。衛生面は日本より若干劣るので要注意。

飲料水

ベトナムは浄水技術が発達しておらず、郊外などでは地下水を使っているところもあるため、水道水はけっして飲まないこと。コンビニやスーパーなどで500mℓペットボトルが5000～1万VNDほどで購入できるのでそちらを飲もう。

トイレ

ほとんどが日本のトイレと同じ洋式で使用方法も同様だが、街なかの店のトイレはあまり衛生的ではない。できるだけホテルや大きなショッピングセンターを利用しよう。使用後の紙はそのまま流せる所もあるが、詰まることも多いので、備え付けのゴミ箱があればそちらへ。また、紙がない場合も多いので、流せるティッシュペーパーを持ち歩こう。

各種マナー

路上で

ホーチミンなどの大都市は特に交通量が多く、ひっきりなしに走るバイクやタクシーで道路をなかなか渡れないことも。慣れた人の後ろについて手で合図しながらゆっくりと渡るのがコツ。難しければ無理をせずに信号のある場所を探そう。

公共交通機関で

儒教の教えが浸透しているベトナムでは、目上の人に敬意を払うのは当たり前。バスなどに乗車した際にお年寄りがいれば、率先して席を譲るよう心がけたい。

レストランで

麺料理やスープなどを食べる場合、器に直接口をつけるのはマナー違反。衛生面が気になる場合にウェットティッシュなどで食器を拭くのは、現地の人も同様なので気にしないでOK。

思想や言動

ベトナムは社会主義国家。共産党や政治、歴史上の偉人への批判は、公的な場では口にしないように気をつけよう。また、警察や軍隊、軍事施設などの撮影はトラブルの元なので控えたい。

度量衡

日本と同じくメートル、ヘクタール、リットル、グラムなどの単位を使用。洋服や靴などはできるだけ試着しよう。

服装

北・中・南部で気候が異なるため、滞在中にベトナム国内で移動をする場合は特に注意が必要。南部は一年を通して気温が高く、半袖と薄手の上着で過ごせる。中部も同様だが涼しい季節には羽織るものを持っていくと安心。北部には四季があり、夏は非常に蒸し暑く、冬は10℃以下になることも。日本の冬ほど寒くはないが、防寒具を忘れずに。

電化製品の使用

電化製品の対応電圧をチェック

ベトナムの電圧は220V、周波数は50Hzが主流。日本は100Vで50／60Hz。日本から持参した電化製品をベトナムで使うには専用の変圧器が必要になる。最近のノートPCやスマホなどは240Vまで対応しているものもあるので、現地で使う予定の電化製品の仕様を確認しておこう。中級ホテル以上ならレンタル用の変圧器を用意している場合もあるので事前にチェックしておこう。

電源プラグの形状

ベトナムのプラグの形状は、日本と同じAタイプと、Cタイプが両方利用できる混合型が多い。ただ上記の通り電圧は異なるので、携帯する電化製品の対応電圧が異なる限りは変圧器が必要となる。

郵便

はがき／手紙

「Bưu điện」と書かれた建物が郵便局や郵便局代理店。日本までの航空郵便料金は、はがきも封書も(20g以下)3万1700VND。日本へは通常2週間程度、地方都市からでも3週間程で届く。中央郵便局は国際郵便に慣れている場合が多いので、観光客も利用しやすい。

小包

郵便局を利用する場合、カウンターに持ち込めば梱包サービスを利用できる。事前に内容物のチェックがある場合も。料金は荷物の重さや、航空便と船便のどちらを利用するかで異なる。貴重品を送る場合はDHLや佐川急便などの業者を利用したほうが確実。

飲酒と喫煙

飲酒と喫煙は18歳から。

公共の場での飲酒

乾杯は最初だけでなく、宴中グラスを口に運ぶたびに何度もするのが普通。周りの人に軽くグラスを合わせるだけでもよい。乾杯は、南部は「ヨー」、北部は「ゾー」。

喫煙は喫煙スペースで

近年、公共の場での禁煙を強化する動きが進み、「禁煙」の標識を掲示する場所が増えている。ただローカルの間ではいまだに路上での歩きたばこやポイ捨ても見られる。周りに流されず、定められた喫煙場所のみで喫煙しよう。

電話／インターネット事情を確認しておきたい！

大都市は比較的インターネット環境が整っている。情報収集、緊急連絡のためにも、通信手段は頭に入れておこう。

電話をかける

日本の国番号は81、ベトナムの国番号は84

ベトナムから日本への電話のかけ方

ホテル、公衆電話から

ホテルからは外線番号 → **00**（国際電話の識別番号） → **81**（日本の国番号） → **相手の電話番号**

※固定電話・携帯電話とも市外局番の最初の0は不要

携帯電話、スマートフォンから

0または＊を長押し（※機種により異なる） → **81**（日本の国番号） → **相手の電話番号**

※固定電話・携帯電話とも市外局番の最初の0は不要

固定電話からかける

ホテルから 外線番号（ホテルにより異なる）を押してから、相手先の番号をダイヤル。たいていは国際電話もかけることができる。

公衆電話から 公衆電話の数は減ってきている。専用のカードでしか利用できないうえに故障していることも多いので、利用は控えたい。

日本へのコレクトコール

緊急時にはホテルや公衆電話から通話相手に料金が発生するコレクトコールを利用しよう。

◉KDDIジャパンダイレクト
☎120-81-0010
オペレーターに日本の電話番号と話したい相手の名前を伝える

携帯電話／スマートフォンからかける

国際ローミングサービスに加入していれば、日本で使用している端末でそのまま通話できる。料金が高額なこともあるので事前に電話会社に確認をしておこう。日本の電話には、＋を表示させてから、国番号＋相手先の番号（最初の0は除く）。同行者の端末にかけるときも、国際電話としてかける必要がある。

海外での通話料金 日本国内での定額制は適用されず、着信時にも通話料が発生するため、料金が高額になりがち。ホテルの電話やIP電話を組み合わせて利用したい。同行者にかけるときも日本への国際電話と同料金。

IP電話を使う インターネットに接続できる状況であれば、SkypeやLINE、Viberなどの通話アプリを利用することで、同じアプリ間であれば無料で通話することができる。SkypeやViberは有料プランでベトナムの固定電話にもかけられる。

インターネットを利用する

街なかで 日本以上にインターネット環境が充実しているベトナム。都市部を中心に、空港やホテル、カフェ、レストランなど多くの場所で無料でWi-Fi接続ができる。接続の際にログインやパスワードが必要な場合もあるので、わからないときはお店の人に聞いてみよう。地方都市など、無料Wi-Fiを利用できる飲食店が少ない場所では、Wi-Fiルーターがあると便利。

ホテルで 高級ホテルからリーズナブルな安宿まで、ほとんどのホテルでWi-Fiが使用できる。パスワードが必要な場合はフロントに尋ねるか、客室のデスクの上に置いてある場合もあるのでチェックしてみよう。

インターネットに接続する

海外データ定額サービスを利用すれば、1日1000～3000円程度でデータ通信を利用できる。空港到着時に自動で案内メールが届く通信業者もあるが、事前の契約や手動での設定が必要なこともあるため、よく確認しておきたい。定額サービスなしでデータ通信を行うと高額な料金となるため、不安であれば電源を切るか、機内モードなどにしておく。

	カメラ／時計	Wi-Fi	通話料	データ通信料
電源オフ	×	×	×	×
機内モード	○	○	×	×
モバイルデータ通信オフ	○	○	$	×
通常モバイルデータ通信オン	○	○	$	$

○ 利用できる　$ 料金が発生する

SIMカード／レンタルWi-Fiルーター

データ通信を頻繁に利用するなら、現地SIMカードの購入や海外用Wi-Fiルーターのレンタルも検討したい。SIMフリーの端末があれば、空港やショッピングセンターで購入できるSIMカードを差し込むだけで、インターネットに接続できる。しかし、購入にはパスポートが必要。Wi-Fiルーターは複数人で同時に使えるのが魅力で、料金はさまざまだが大容量プランで1日500～1500円ほど。

オフラインの地図アプリ

地図アプリでは、地図データをあらあじめダウンロードしておくことで、データ通信なしで利用することができる。機内モードでもGPS機能は利用できるため、通信料なしで地図アプリを利用できる。

病気、盗難、紛失…。トラブルに遭ったときはどうする？

警戒していても不慮の事故は避けられない場合もある。トラブルに遭った際は速やかに連絡を。

治安が心配

ベトナムは比較的治安のいい国だが、観光客はスリや置き引き、ひったくりに狙われやすい。油断せず、荷物から目を離さないなど十分な注意を払おう。

緊急時はどこへ連絡？

荷物をなくしても大丈夫なよう、メモや携帯電話に記録しておこう。

警察 ☎113
消防・救急 ☎114

大使館

在ホーチミン日本国総領事館
ホーチミン MAP 付録P.6 C-2
☎028-3933-3510
所 261 Điện Biên Phủ

在ベトナム日本国大使館（ハノイ）
ハノイ MAP 付録P.17 D-4
☎024-3846-3000
所 27 Liễu Giai

病院

ラッフルズ・メディカル・ホーチミン
MAP
☎028-3824-0777（平日7～19時、土曜は～14時）

ラッフルズ・メディカル・ハノイ
MAP
☎1900-545-506(8～20時)

病気・けがのときは？

海外旅行保険証に記載されているアシスタンスセンターに連絡するか、ホテルのフロントに医者を呼んでもらう。海外旅行保険に入っていれば、提携病院で自己負担なしで安心して治療を受けることができる。

パスポートをなくしたら？

① 最寄りの警察署に届け、紛失届受理証明書等を発行してもらう。

② 日本大使館で、「紛失一般旅券等届出書」と「帰国のための渡航書（有効期限はベトナム出入国管理局の判断で決定）」を申請する。用意するものは紛失届受理証明書等、渡航書発給申請書、顔写真（4.5×3.5㎝）2枚、身元確認書類（運転免許証等）、戸籍謄本又は抄本 あるいは日本国籍を確認できる公的文書、帰国便の予約を確認できる公的文書。

③ 問題がなければ翌日受け取り可能（急いでいる場合は当日発行も可能）。渡航書発行の手数料は43万VND（2024年7月現在）

※新規パスポートも申請できるが、発行は申請当日除く翌3日後。手数料は、5年有効が190万VND（12歳未満103万VND）、10年有効が276万VND。（カードや円での支払いは不可）

クレジットカードをなくしたら？

不正利用を防ぐため、カード会社にカード番号、最後に使用した場所、金額などを伝え、カードを失効してもらう。再発行にかかる日数は会社によって異なるが、翌日～3週間ほど。事前にカード発行会社名、紛失・盗難時の連絡先電話番号、カード番号をメモし、カードとは別の場所に保管しておくこと。

現金・貴重品をなくしたら？

現金はまず返ってくることはなく、海外旅行保険でも免責となるため補償されない。盗難の場合荷物は補償範囲に入っているので、警察に届け出て盗難・紛失届出証明書（Police Report）を発行してもらい、帰国後保険会社に申請する。

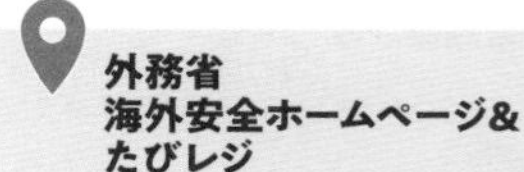

外務省 海外安全ホームページ&たびレジ

外務省の「海外安全ホームページ」には、治安情報やトラブル事例、緊急時連絡先などが国ごとにまとめられている。出発前に確認しておきたい。また、「たびレジ」に渡航先を登録すると、現地の事件や事故などの最新情報が随時届き、緊急時にも安否の確認や必要な支援が受けられる。

旅のトラブル実例集

スリ、ひったくり

事例1 繁華街を歩いているときや路上で写真を撮っているときにバイクが近づき、貴重品の入ったバッグやカメラ、スマートフォンなどをひったくられる。

事例2 物売りの子どもが話しかけてきて気を取られている間に仲間が近づき、鞄やポケットから財布や金品を奪われる。

対策 多額の現金や貴重品はできる限り持ち歩かず、位置を常に意識しておく。バッグはいつも腕にかけてしっかりと抱え込むように持つ。路上で不要にスマートフォンを出したり、歩きスマホなどはしない。

置き引き

事例1 屋台で料理を購入するときやビュッフェ形式の食事中に、席に置いていた荷物を盗まれる。

事例2 ホテルのチェックイン、チェックアウトのときに、足元に置いていた荷物を盗まれる。

対策 けっして荷物からは目を離さない。席取りには、なくなってもよいポケットティッシュなどを置く。2人以上の場合は、必ず1人はしっかりと荷物の番をする。トートバッグなどふたのないカバンは使用しない。

ぼったくり

事例1 タクシーでメーターが動いていなかったり、メーターと異なる金額を請求された。

事例2 シクロやバイクタクシーに乗り、法外な料金を請求された。

対策 悪質なタクシードライバーは少ないが、メーターがきちんと動いているかは確認しておく。納得できなければレシートを求め、タクシー会社に連絡する。個人での値段交渉が必要なシクロやバイクタクシーはできるだけ利用しない。どうしても乗りたければツアー会社などに手配してもらう。

旅のベトナム語
VIETNAMESE CONVERSATION

観光地なら英語が通じる場合もあるが、
現地の人との距離を縮めるためにも
ぜひベトナム語で話しかけてみよう。

あいさつ

こんにちは
Xin chào
シン　チャオ

ありがとう
Cám ơn
カム　オン

すみません
Xin lỗi
シン　ローイ

どういたしまして
Không có gì
ホン　コー　ジー

はい／いいえ
Vâng/không
ヴァン　ホン

どうぞ
Xin mời
シン　モーイ

あなたの名前は
Anh tên gì?
アイン　テン　ジー?

さようなら
tạm biệt
タン　ビエット

観光するときの会話

○○に行きたいです。
Muốn đi ○○
ムオン　ディ

○○はどこですか。
○○ ở đâu?
アー　ダウ?

何分くらいかかりますか。
Khoảng mấy phút?
ホアン　メイ　フッ?

降ります。
Tôi xuống
トイ　スオン

ショッピング時の会話

これはなんですか。
Cái này là cái gì?
カイ　ナイ　ラー　カイ　ジー?

いくらですか。
Bao nhiêu tiền?
バオ　ニュー　ティエン?

まけてください。
Xin bớt cho tôi
シン　ボッ　チョー　トイ

これをください。
Tôi mua cái này
トイ　ムア　カイ　ナイ

レストランでの会話

2名で予約をしたいです。
Tôi muốn đặt bàn cho hai người
トイ　ムオン　ダッ　バン　チョー　ハイ　グオイ

おすすめの料理は何ですか。
Món nào ngon?
モン　ナオ　ンゴーン?

おいしい!
Ngon quá!
ゴーン　クア!

お会計をお願いします。
Hãy tính tiền
ハイ　ティン　ティエン

ホテルでの会話

1泊いくらですか。
Một ngày bao nhiêu tiền?
モッ　ンガイ　バオ　ニュー　ティエン?

Wi-Fiのパスワードを教えてもらえますか。
Cho tôi biết Wi-Fi password?
チョー　トイ　ビエッ　ワイファイパスワード

お湯が出ません。
không có nước nóng
ホン　コー　ヌック　ノン

トラブル時の会話

警察を呼んでください。
Xin gọi công an cho tôi với
シン　ゴイ　コン　アン　チョー　トイ　ヴォイ

パスポートをなくしました。
Tôi bị mất hộ chiếu rồi
トイ　ビ　マッ　ホ　チエウ　ゾーイ

助けて!
Cứu tôi với!
クウ　トイ　ヴォイ!

熱があります。
Tôi bị sốt
トイ　ビ　ソット

病院に行きたい。
Tôi muốn đi bệnh viện
トイ　ムオン　ディー　ベイン　ヴィエン

数字

0 **zero**

1 **một**
モッ

2 **hai**
ハイ

3 **ba**
バー

4 **bốn**
ボン

5 **năm**
ナム

6 **sáu**
サウ

7 **bảy**
バイ

8 **tám**
タム

9 **chín**
チン

10 **mười**
ムオイ

20 **hai mươi**
ハイ　ムオイ

30 **ba mươi**
バー　ムオイ

40 **bốn mươi**
ボン　ムオイ

50 **năm mươi**
ナム　ムオイ

60 **sáu mươi**
サウ　ムオイ

70 **bảy mươi**
バイ　ムオイ

80 **tám mươi**
タム　ムオイ

90 **chín mươi**
チン　ムオイ

100 **một trăm**
モッ　チャム

1000 **một nghìn**
モッ　ニン

1万 **mười nghìn**
ムオイ　ギン

INDEX

インデックス

■ 観光スポット　G グルメ
S ショッピング　A アート&カルチャー
C カフェ&スイーツ　H ホテル
N ナイトスポット　E エステ・スパ

◆ホーチミン

◆ホーチミン周辺

◆ダナン

◆ホイアン

◆フエ

◆フエ周辺

◆ハノイ

◆ハノイ周辺

STAFF

● **編集制作 Editors**
K&Bパブリッシャーズ K&B Publishers

● **取材・執筆・撮影 Writers & Photographers**
勝恵美 Megumi Kathu
スパイスアップベトナム Spice Up Vietnam
（岡野志保、三宅秀晃）
DOTTS COMPANY LIMITED 笠松薫里 Kaori Kasamatsu
野田恵里子 Eriko Noda
好地理恵 Rie Kochi
堀井美智子 Michiko Horii
Mai Trung Thành
Tran Minh Quang

● **カバー・本文デザイン Design**
山田尚志 Hisashi Yamada

● **地図制作 Maps**
トラベラ・ドットネット TRAVELA.NET

● **表紙写真 Cover Photo**
iStock.com

● **写真協力 Photographs**
PIXTA
iStock.com
123RF

● **総合プロデューサー Total Producer**
河村季里 Kiri Kawamura

● **TAC出版担当 Producer**
君塚太 Futoshi Kimizuka

● **エグゼクティヴ・プロデューサー**
Executive Producer
猪野樹 Tatsuki Ino

おとな旅プレミアム
ベトナム

2024年9月30日　初版　第1刷発行

著　　者　TAC出版編集部
発 行 者　多 田 敏 男
発 行 所　TAC株式会社 出版事業部
（TAC出版）
〒101-8383 東京都千代田区神田三崎町3-2-18
電話　03(5276)9492(営業)
FAX　03(5276)9674
https://shuppan.tac-school.co.jp
印　　刷　株式会社　光邦
製　　本　東京美術紙工協業組合

ISBN978-4-300-11274-8
N.D.C. 292